Une curieuse solitude

« Pour moi, je ne me lasserais pas de citer ce livre dont je parle si mal. Il n'y a pas de raison que cela finisse, sinon la raison même. Je n'ai pourtant ni le mérite ni l'originalité de découvrir Philippe Sollers, dont le destin, même s'il doit s'entourer de quelques crialleries, est désormais, et largement ouvert. Et puis il y a bien des choses que je préfère réserver de lui dire plus tard. Beaucoup plus tard peut-être, si cela pouvait m'être donné. Le destin d'écrire est devant lui, comme une admirable prairie. A d'autres, de préjuger de l'avenir, de donner des conseils. Pour moi, j'aime à me contenter d'admirer. Cette fois au moins. C'est que ce n'est pas tous les jours qu'un jeune homme se lève et qui parle si bien des femmes. »

Extrait d'un article de Louis Aragon,
Les Lettres françaises,
20 novembre 1958.

Ceci est le premier roman de Philippe Sollers, dont on sait comment il plaça d'emblée son auteur au premier rang d'une génération.

Philippe Sollers

Une curieuse solitude

roman

Éditions du Seuil

TEXTE INTÉGRAL.

EN COUVERTURE : Le Greco. *Le Martyr de saint Maurice* (détail).
Musée de l'Escorial. Archives SCALA.

ISBN 2-02-008647-6
(ISBN 1re publication 2-02-000900-5)

à E. S. M.

« Il n'y a rien à craindre des dieux.
Il n'y a rien à craindre de la mort.
On peut atteindre le bonheur,
On peut supporter la douleur. »

DIOGÈNE D'ŒNANDA

« Le plus beau des courages,
celui d'être heureux. »

JOUBERT

Depuis toujours, je forme ce projet d'écrire à qui serait situé à des milliers de kilomètres et d'années de ma propre existence, à un individu sans attaches, sans croyances, sans amours, et seulement capable d'émotion pour ce qui importe : l'aventure humaine. Je conçois tout ce qu'une telle intention a d'absurde et peut-être de grotesque. Cependant, pour peu que l'imagination ait besoin d'excuses (certes, je n'en crois rien), ne faut-il pas lui donner celle du soulagement ? Ces lignes ne seraient que des inspirations données sur le vide quand tout se ferme ou se disloque. Cet inconnu que j'imagine sortant de la plus obscure retraite, ne serait occupé que de l'attente. Toutes ses qualités longuement, minutieusement pesées, seraient donc attentives à ce mouvement toujours le même, encore qu'avec mille variantes, telle la vague est portée par la même nécessité, mais avec plus ou moins de vigueur et d'insolence.

Je commencerais de lui écrire sans me douter de rien. Je compterais sur le temps, la fatigue et l'habitude pour donner à mes phrases je ne sais quelle soigneuse banalité qui les ferait rentrer dans l'ordre. Et puis je m'apercevrais que, pour une fois, cela est impossible, que cette extrême pointe de ma conscience où j'avais mis mon interrogation se trouve justement à la pointe de ma plume et refuse avec énergie de se prononcer : une joie étrange m'envahirait, un mouvement au fond innommable.

« Je me trouve — écrirais-je — dans une curieuse solitude, telle que vous devez l'aimer mais assez différente, sans doute, pour vous laisser croire que vous êtes seul. Au vrai (ne riez pas tout de suite), il me semble que ma pensée a disparu. Je me souviens pourtant de quelques silhouettes, de quelques odeurs, d'un ou deux paysages et, par-ci, par-là, d'un reflet de sentiment. Mais je n'arrive pas à croire que ma vie (je veux dire ce qui exista pour moi de moins habituel) puisse encore s'accrocher à ce qu'on appelle le monde mental. Décrire ce personnage que je suis, cela suppose d'ailleurs que j'ai pris sur lui un avantage, ce dont, il me semble, je suis très éloigné. Les exceptions ne sont jamais explicables, et je suis une exception, entendez que j'y tends de toutes mes forces. Pourtant, je voudrais rassembler ce qui me reste d'énergie et de lucidité et le jeter dans la bataille. Mais quelle bataille ? Etrange combat où l'on reçoit tous les coups de peur d'en donner qui tomberaient à vide...

Savez-vous que si je voulais exprimer d'un mot tout ce qui me retient, m'attache encore passionnément, je crois que ce serait : lumière? Et sans doute cela *veut* dire quelque chose et nous demande notre participation, notre violence. Ces instants lumineux que, dans le mouvement qui les nie, je peux encore servir, voici qu'ils me parlent à mi-voix. Et n'est-ce pas un signe que la mémoire elle-même soit (chez moi, du moins) à ce point joyeuse, enchantée ? Ne faut-il pas voir là comme une géniale correction de toute vie ? Il faudrait en chercher les raisons, trouver comment, par quels détours, par quels imperceptibles mouvements, je suis parvenu à ce champ creusé où respire encore tout ce qui m'importe...

Mais alors ? »

I

La *cara con poca sangre, los ojos con mucha noche,* je crois que, ces vacances-là, Concha apparut le lendemain de mon arrivée. La veille, au dîner (et l'association de ces deux mots eut un effet comique) on avait longuement parlé de cette nouvelle nurse espagnole. Quoique déçu, car chacun sait les Espagnoles inaccessibles, j'avais risqué négligemment qu'il me serait profitable de pouvoir lui parler. Mais le lendemain matin je m'enfermai dans ma chambre, guettai à la fenêtre et imaginai pour cette femme mille visages et toutes les audaces. A l'avance, dans les propos les plus anodins de la veille — il avait suffi d'un ton désapprobateur — j'avais discerné des motifs qui me faisaient aimer Concha, qui me la livraient mieux que sa vue ou sa présence — tant il est des réticences qui, sans qu'on l'ait jamais vu, nous font désirer quelqu'un. Et j'étais à l'âge où l'on saute sur toute proie, avec l'espérance diffuse d'en trouver une qui, ne résistant pas, nous emprisonne dans son acceptation qui est, en fait, ce qu'on redoute le plus. Une femme, je ne pouvais la concevoir que possédée — sans nulle précision sur ce bonheur. Je rêvais aux seins de Concha.

Elle arrivait. Il pleuvait et, de ma fenêtre, je n'apercevais que le toit des parapluies, le bas de sa jupe, ses chevilles. Vertige des voix animées, quand tout peut dépendre d'une seule, et qu'on s'efforce, tendant l'oreille, de démêler son cheminement incertain, ses ponctuations, ses interventions. On riait, on cherchait des mots.

On montait les escaliers. Cette fois, je n'y tins plus. En traversant le palier j'aurais du moins l'excuse d'un déplacement naturel. Mais, tout de suite, nous fûmes face à face. Je ne vis que ses yeux. Ils prirent possession de moi avec tant d'ironie qu'à peine je pus balbutier des politesses, m'incliner, sourire. Ces yeux vous *regardaient,* à quoi je n'étais guère habitué, par dédain, sans doute, d'accorder à quelqu'un d'autre ce pouvoir. Je n'eus pas le temps de reconnaître la couleur de ce regard, ni le visage dont il émanait. Elle était vêtue de noir, obscure vraiment, comme une prêtresse ou ce qu'on voudra de sévère et d'imposant.

Encore aujourd'hui je ne peux voir une femme en deuil sans la revoir, elle, brune et sombre, avec dans les yeux tout l'éclat de l'insolence et de la gaieté.

Au dîner, j'observai Concha ouvertement, et elle soutint mon regard. Elle ne refusait ni n'engageait le combat, et ses yeux se posaient sur les miens, curieux et froids, sans que je puisse décider s'ils étaient pour ou contre mon désir. Comme tous les yeux admirables, je m'apercevais qu'ils avaient une couleur difficile à identifier, ni marron, ni verts, avec une tache pourpre dont on aurait dit qu'elle savait user. Je regrettais d'être obligé de lui parler, car mon observation s'en trouvait amoindrie, mais j'étais le seul à parler suffisamment l'espagnol, et, comme elle savait mal le français, j'étais obligé de lui servir d'interprète. Tout de suite, cette complicité de langage me parut en créer une autre, plus profonde. J'aimais quand son visage se tournait vers moi pour un appel muet, une traduction.

Quand à seize ans on est poète, et un tant soit peu joli garçon, il est certains airs qui font oublier qu'on est bête. Concha m'avait regardé deux ou trois fois avec insistance. Je me contemplais dans les glaces avec une nouvelle complaisance.

Concha m'expliquait :

« En Espagne, une femme seule est perdue. Les gens y sont trop intransigeants ou trop contraints pour supporter une situation qu'ils trouveront aussitôt anormale. Plutôt que de subir les remontrances de ma famille, je préfère être en France, subir quelques obligations mais faire ce qui me plaît. (En me regardant.) Mais ça a l'air bien ennuyeux, ici ! »

Que ces paroles aient pu être dites sans la moindre ironie, la plus mince amertume, voilà qui me confondait. Je voyais pour la première fois quelqu'un qui ne demandait rien et j'étais trop habitué, autour de moi, à ces passions d'autant plus âpres qu'elles sont plus sordides, pour comprendre ce calme absolu allié pourtant, par éclairs, à tant de vivacité. Cette indifférence pouvait d'ailleurs s'étendre à tous les domaines, et même à ceux où elle aurait été censée se défendre, à sa « réputation ». Elle commit par la suite des imprudences que, seul, le *es igual* des Espagnols peut expliquer. N'arrivait que ce qui devait arriver. Elle ne serait pas intervenue le moins du monde pour éviter un danger ou se procurer un plaisir. Il y a une noblesse de comportement qui n'est que de l'apathie. Mais, chez Concha, cette inhibition n'atteignait en rien son physique. Elle était violente au contraire, sauf lorsqu'il fallait argumenter, répondre à des questions, décider. Son visage, alors, se dissolvait, elle rentrait dans sa coquille, *se metia en su concha,* comme je le lui disais dans un calembour préparé avec soin. Pas plus qu'elle n'aurait été capable de chercher un partenaire sexuel, elle n'aurait su comment le repousser. Et l'on prenait pour de la froideur ce qui n'était qu'une incertitude, un grand désir, au fond, d'être emportée par l'événement, d'y céder avec ce goût de la catastrophe qui semble posséder, au fond, tous les Espagnols. Je ne sais d'ailleurs si sa nationalité me la fit aimer, mais elle m'y aida sans doute. Car, de même qu'au début de la vie nous demandons à l'amour ce caractère inhabituel, ambigu, étrange, où tout semble emprunté à une magique tradition, parler espagnol, l'aimer en espagnol, ne pouvoir l'atteindre, l'inquiéter et lui plaire qu'en espagnol, donnait à cette langue une valeur incantatoire et sacrée. Mais aussi, je m'aperçus vite que Concha se dérobait par ce moyen, habitait des ombres protectrices, quand je ne pouvais saisir ses propos, le choix des mots étant trop particulier ou trop subtil.

Et pourtant il y avait au moins un avantage considérable pour Concha à parler une autre langue que la mienne. C'est ainsi que tout ce qu'elle disait et qui, en français, m'aurait peut-être irrité ou déçu, prenait, en espagnol, une couleur, une profondeur nouvelles, et qui m'éblouissaient. Les propos de Concha, qu'un de ses compatriotes aurait sans doute trouvés bêtes ou vulgaires, avaient pour moi l'importance d'une révélation, tant ils usaient de ces secrètes correspondances, de ces mots clés et intraduisibles, de ces formules qui semblent monter de la nature même d'un peuple. Ce serait d'ailleurs une hygiène recommandable — et peut-être décisive — pour ceux qui, à certaines heures, sont fatigués du langage jusqu'à l'obsession, d'en changer brusquement, de ne plus parler que par emprunt, de se créer un monde neuf et clos sans correspondance avec celui de leur enfance et de leurs fatigues. Bien qu'un tel remède soit sans doute illusoire — et n'agisse d'ailleurs que comme calmant — encore faudrait-il choisir une autre langue que l'espagnol, trop semblable à la nôtre et où brillent des rapports si évidents, des analogies toujours décevantes. N'importe, à l'époque où j'abordais à l'Espagne, à Concha, c'était comme si j'avais mis le pied sur une île aux trésors verbaux fugitifs apparaissant, disparaissant et gardant d'autant plus de valeur que nous avons eu moins le temps de les évaluer. Et lorsque Concha parlait, de ce contraste entre le chaud et le froid des mots, entre la rocailleuse ou furieuse tonalité des *r* ou de la *jota* — et les adoucissements pulpeux des *c* et des *z* (la langue vient alors contre les dents comme pour les feutrer) — la presque confusion des *b* et des *v*, naissait un équilibre opposant sans fin les extrêmes et les réconciliant dans une musique troublée, avec ses orages et ses calmes, ses hauts et ses bas, ses attaques et ses concessions...

Ainsi, l'espagnol nerveux, accidenté (épuisant et fondant tous les registres) où la voix se fraie un passage au prix, semble-t-il, d'une rage mais aussi d'une dangereuse douceur (douceur toujours armée), est la langue de la fascination.

Et la voix de Concha changeait, selon, aurait-on dit, qu'elle parlait vraiment (chuchotante, alors ; une invocation) ou qu'elle laissait à une mécanique inconsciente d'expressions toutes faites le soin de s'articuler pour elle dans l'aigu.

Comme j'aimais qu'elle dît : *¡ Ojala !* Pour le lui faire répéter, j'inventais sans fin des conditionnels auxquels elle répondait par ce « Plût au Ciel ! » digne d'une tirade classique.

« Mais si (telle catastrophe) se produisait ?

— *¡ Ojala !...* »

Et je ne me lassais pas de ce mot, de tous ces emprunts, de cette musique nerveuse.

Je me crus bientôt obligé à un maintien équivoque. Je ne la quittais plus et d'autres que moi auraient pu s'étonner de nous voir si libres. Mais il suffit d'oser. Plus l'insolence est grande et plus elle a de chance de passer inaperçue. Et ma famille qui ne voyait rien ou ne voulait rien remarquer, était sans doute portée à l'indulgence puisque ses intérêts n'étaient pas en jeu.

Mon amitié avec Concha, qui s'était développée spontanément (elle n'avait que moi à qui parler), passait pour accroître mes connaissances en vue de mon examen. Une de mes tantes me répétait gravement que « l'étude d'un idiome (elle employait ce mot) est une corde de plus à son arc ». Mais de quel bois j'allais faire flèche — pour éviter une autre plaisanterie douteuse — elle ne semblait pas vouloir s'en douter.

L'après-midi, Béatrice, une amie d'enfance avec qui il était convenu que je flirtais, venait souvent me chercher. Concha lui ouvrait la porte. Je m'amusais du contraste de l'une, jeune et blonde avec l'autre, pâle et toujours habillée de noir (au point d'avoir mérité ce *piropo*, c'est-à-dire ce compliment à l'espagnole, hautement précieux :

¿ Quien ha muerto en el cielo
Para que la virgen vaya de luto ?

(Qui donc est mort au ciel
Pour que la vierge soit en deuil ?)

Béatrice avait sans doute deviné mon attachement pour Concha, car non seulement elle me récita un jour en riant :

J'ai connu dans Séville une enfant brune
et tendre
Nous n'eûmes aucun mal, hélas ! à nous
entendre

vers qu'elle avait dû soigneusement chercher dans une anthologie ; mais encore, un jour que Concha apportait un plateau, elle eut l'audace de le lui faire poser sur la table et puis, faussement ennuyée, montrant même de l'agacement, de le lui faire déplacer trois ou quatre fois.

Je crus, cette fois, que Concha, livide, allait lui jeter les verres à la tête. Béatrice aussi, sans doute, qui la remercia soudain un peu trop vivement et ne tenta jamais plus la plaisanterie. « Qu'a-t-elle ? Elle a l'air malade », me fit Béatrice, déçue de n'avoir pas dérouté Concha.

Ce ne fut pourtant pas, entre elles, la dernière escarmouche, que je n'avais même pas l'élégance de savourer à mon avantage. Mais la suivante décida de mon amour pour Concha, et l'on verra comment, plus tard, bien qu'elle ne s'en soit pas doutée, j'en remerciai Béatrice.

Il suffit parfois d'une phrase ou, plus justement, d'un ton, pour créer entre deux corps une fatalité qu'ils ne pourront plus fuir. C'était pendant une soirée à la préparation de laquelle Concha avait aidé. Son emploi, son âge plus élevé que celui des invités, son deuil pour lequel il avait fallu longtemps la sermonner avant qu'elle accepte de l'oublier au point de paraître seulement dans les salons (ce qui était une générosité affichée, hypocrite), tout cela créait autour d'elle un abîme que personne ne semblait tenté de franchir. Comme le temps passait, je l'aperçus assise, les yeux vagues, triste comme elle savait l'être au moindre déplaisir.

Elle regardait avec une indulgence amusée,

bientôt indifférente. Je lui offris une cigarette qu'elle accepta. Elle fumait avec désinvolture, rejetant la fumée par le nez avec, soudain, une familiarité dont elle n'avait guère l'habitude. Elle s'aperçut sans doute de ma surprise car, à peine était-elle commencée, qu'elle écrasa nerveusement sa cigarette. Béatrice venait vers nous, un verre à la main qu'elle m'offrit sans regarder Concha, à qui je le proposai aussitôt.

« Ma parole ! Il lui fait la cour ! »

La voix de Béatrice, plus que sa réflexion, me gêna. Un ton pointu, désastreux, qui, sur les derniers mots, avait légèrement tremblé.

« Si cela n'était pas vrai, dit Concha, en trébuchant sur les mots, vous le vexeriez à lui, et si cela était vrai, c'est moi que vous vexeriez. Vous voyez que, de toute façon, votre réflexion est stupide. »

Béatrice dut dire que, bien sûr, elle plaisantait, et s'éloigna en clignant de l'œil. Je n'éprouvais rien. Seulement, il me semblait que quelque chose s'était dénoué dans mon désir et ma peur d'approcher Concha.

« Sortons, veux-tu ? »

Pour descendre le perron obscur, je pris la main qu'elle me donnait. Emu, je l'étais par la certitude que Concha n'avait répondu à Béatrice que par souci de moi. Et je serrai sa main en pensant que nous avons souvent besoin pour céder au romanesque qu'il ressemble à un roman. Ce qui me surprit alors dans l'attitude de Concha, sans que je puisse lui donner une explication, c'est que bien loin d'en vouloir à Béatrice, elle me parla d'elle, m'interrogea sur elle, avec, dans la voix, toutes les marques de la plus secrète quoique de la plus vive admiration.

La maison prenait une animation d'hôtel. Ma famille reçut un de ses parents, vieil aveugle à moitié sourd qui, toute la journée, restait assis dans un coin du salon. Puis, le hasard, qui a l'imagination la plus grossière, décida tout le monde à aller passer huit jours en Espagne. Je remerciais mon échec qui me permettait de feindre la préparation d'un examen. Nous restâmes donc ensemble, l'aveugle, Concha et moi. Aujourd'hui ces coïncidences m'apparaissent admirables. Mais rien ne nous étonne qui va, sur le moment même, dans le sens de notre désir.

Les réticences n'auraient pu venir que de moi. Concha était assez intelligente pour ne pas se formaliser d'une situation devant laquelle d'autres auraient reculé. Qu'est-ce qui aurait pu l'arrêter ? La différence d'âge ? Il était évident qu'elle l'envisageait déjà comme un délicieux remords. La crainte du scandale ? Elle était trop nonchalante pour s'en soucier. Par contre, ce passé que j'avais cru deviner, un soir, dans sa manière de fumer, devait la pousser à cette faiblesse — si l'on peut supporter ce mot.

Pour moi, uniquement occupé de connaître une expérience si désirée, je n'étais guère attentif aux particularités de Concha. Ce n'est qu'*après* que l'on découvre les femmes car, dans le désir, c'est toujours soi qu'on écoute.

En outre, ce n'est que plus tard que je compris que la partie était gagnée d'avance. Sans doute, si je l'avais su au moment de la jouer, j'aurais eu peur de réussir. Mais pouvais-je deviner que tout commence — ou finit — de l'autre côté du plaisir ? Je m'y portais avec la grossièreté, l'impulsivité de l'ignorance. J'avais d'abord imaginé que coucher avec une femme c'était surtout acquérir la possibilité de s'en vanter. Mais j'allais découvrir que c'est être pris au piège, tant on avait vécu sur des apparences que cet acte rend à leur néant.

La première journée où nous fûmes seuls me parut interminable. Le soir ne viendrait donc jamais ! Concha s'aperçut vite de l'air avec lequel je tournais autour d'elle. Dans les premiers temps — mais nous ne savons pas encore ce que nous désirons —, on dirait que la respiration hésite à troubler les tentatives du hasard. Concha, en cousant, avait égaré un fil de coton dans ses cheveux et j'allais le lui enlever avec toutes sortes de grimaces. Le jeu, la danse puérile que nous menons autour d'une femme, ont pour but unique de réduire la distance qui nous sépare d'elle sans perdre tout à fait la face (plus tard, la conscience aigüe de ce ridicule nous fera préférer d'être grossier, quitte à échouer dans nos aventures). Mais Concha, que je croyais indulgente alors qu'elle avait sans doute tout simplement envie de moi, ne me lançait pas de ces regards terrifiants que sa fierté pouvait faire naître.

Une fois la vaisselle essuyée, le vieux parent rangé dans son coin de salon (toujours immobile et muet tel un automate que seul un mécanisme aurait maintenu en vie), nous nous retrouvâmes seuls dans le bureau. Déjà, j'apportais des disques que je m'étais fait prêter, de vieilles photos trouvées au grenier que j'éparpillai sur le tapis et que, bientôt à genoux l'un et l'autre, nous contemplâmes avec des rires. Tantôt rieuse, tantôt grave, Concha me regardait en silence et j'étais tellement suspendu à ce visage, à son verdict secret, que ces brusques changements d'humeur me donnaient le vertige. Je lui pris la main comme pour échapper à l'exaltation de la musique qui était trop belle pour ne pas encourager un commencement d'hystérie. Le disque s'achevait quand le vieux appela. D'un bond, Concha fila vers le salon. Comme elle s'y attardait, je fus la rejoindre et la trouvai, pensive, en contemplation devant l'aveugle qui levait vers le plafond un visage vide. Je m'assis près d'elle. Parfois, le vieillard lui adressait la parole, et elle lui répondait avec gentillesse, quelques mots. Mon visage surplombait le sien et je la voyais pour la première fois de très près. La nuit tombait tout à fait sur notre étrange trio. Mais voici que Concha, soudain, en se soulevant un peu sur la paume des mains, m'embrasse, pousse un cri, court vers l'autre pièce. Le vieux, entendant du bruit, se lève, interroge, s'affole, tandis que je cours à la poursuite de Concha.

Elle est revenue dans le bureau où elle feint de détailler les portraits. Cette fois, sans plus hésiter, je la caresse, commençant par la chatouiller. Mais Concha, qui est naturelle au-delà de ce que je peux comprendre, ne réagit pas, fait la morte. Même quand, par-dessus son jersey noir, je commence à caresser ses seins, petits et ronds — aux antipodes de mes rêves, c'est-à-dire des magazines obscènes — elle n'a pas ce geste de défense qui, bien sûr, décuplerait mon plaisir. Et, tandis que je tremble avec un air négligent, elle continue, absente, de contempler un aïeul à chapeau de paille.

Je veux l'embrasser ou, plutôt, approcher du sien mon visage. Mais soit qu'elle pense qu'après avoir cédé elle peut raffiner un peu, soit qu'elle s'effraye maintenant de l'aventure, elle s'enfuit encore, rieuse, insaisissable ; « sois formel, sois formel », me crie-t-elle en français (*formal*, en espagnol, signifie sérieux). Et pendant tout ce temps où nous courons, où nous nous disputons, je plaque contre son visage tournoyant des baisers maladroits, qui ratent leur but et ne font que l'effleurer. Mais, quand j'aurai réussi à la fixer, les baisers que je lui donnerai, mes premiers baisers, la feront éclater de rire et, parfois, me mouiller de sa salive.

Plus tard, accoudés à l'un des balcons qui donnaient sur le jardin, il me semble — ne l'inventais-je pas — que la lune éclairait le jardin et que dans le désordre que la nuit jetait dans les branches éclatait parfois la pureté d'une fleur.

Je songe à l'émotion que c'est, la première fois de sa vie, d'entendre à ses côtés la respiration d'une femme. Dans cet intervalle si particulier qui sépare deux corps pour la première fois, il existe comme un champ magnétique qui, soudain — et sans que je m'en rende compte à moi-même — me fait découvrir le désir, le danger.

Nous nous embrassions, maladroitement. Les premiers baisers n'ont pas à proprement parler de goût car on les ressent comme des chocs. Mais ils deviennent tout de même un plaisir inconnu et que nous n'avions jamais soupçonné.

Ravi de voir Concha dans des dispositions si soumises — joueuses — je brûlais de lui demander la permission de la suivre dans sa chambre. Avec un peu d'expérience, je me serais passé de son avis. Mais j'en étais à peine à ces commencements où l'on imagine que, par les mots, un accord est possible. J'interrogeai Concha qui, selon l'évidence, me répondit non. Alors, d'un geste instinctif prouvant que je ne méritais pas d'autre réponse, et que le premier attachement pousse les défauts d'un âge à ses conséquences extrêmes (et le mien était fait de bouderies, de rages d'enfant gâté), je la regardai d'un air que je voulais viril et la giflai. A vrai dire, suivant en cela l'incessante comédie que je me jouais à moi-même, j'aurais voulu acquérir le privilège moral de la gifle sans vraiment lui faire mal (je devais aussi imaginer que « c'est comme cela qu'on prend les femmes »). Or Concha parut si effarée qu'elle n'eut même pas le réflexe de me frapper et s'enfuit sans mot dire.

Furieux de cet incident, plus encore pour m'y être montré ridicule que pour avoir « manqué une occasion », je rentrai dans ma chambre, commençai à me déshabiller. « Elle a eu le marché en main, elle a refusé, c'est bien, je ne mendierai pas. » Mais aussitôt prononcées, ces paroles de théâtre me parurent ce qu'elles étaient : empruntées, absurdes. Je courus à la chambre de Concha.

Elle ne pensa même pas à me refuser son lit. J'aurais même juré qu'elle me plaignait de mon incohérence et de ma lourdeur, comme si, m'aimant déjà, elle m'avait jugé irresponsable. « *Venga, venga* », me chuchota-t-elle, lorsque j'entrai, feutrant mes pas. Mais mon trouble était si grand que je ne comprenais même plus si elle me disait de rester ou de partir. Comme j'hésitais, elle répéta avec agacement : « *Venga.* » Alors, j'enlevai rapidement mon pyjama et, tremblant, pénétrai entre les draps tièdes. Elle n'osait bouger, comme paralysée par la même peur, comme rendue plus grave par le même désir. De son visage détourné, je sentais le parfum étrange — je veux dire : que je ne sus jamais comparer à rien de réel. Je pesai bientôt sur elle sans tâcher de la prendre, hésitant seulement sur ses lèvres avec des frissons, des rires. Curieuse, sa bouche devenait plus fraîche à mesure que je la pénétrais.

Nous fîmes l'amour vaille que vaille car, d'elle-même, elle aggrava mon ignorance par des « *¡ cuidado !* » répétés sur le ton le plus inquiet, si bien que, me retirant trop tôt, je ne connus qu'une sensation incomplète. Or, cette permission (de la posséder complètement), elle ne me l'accorda que bien plus tard, un jour où elle imagina cette récompense à ce moment d'interrogation muette et pourtant significative qui précède le plaisir. Ce fut alors en me regardant bien en face et souriant de me voir si satisfait qu'elle me chuchota à l'oreille cet « *Echad* » (« jouis ») que tout homme, s'il l'a entendu, ne pourra plus oublier (et le ton que prit Concha était gémissant, rapide). Il est d'ailleurs remarquable combien le vocabulaire de l'acte physique est riche en espagnol, faisant merveille dans ce domaine de l'image, des sonorités. Or le désir, c'est surtout le vocabulaire du désir, et n'importe qui remplirait des pages de ces expressions savoureuses, proprement intraduisibles, et qui ont ce pouvoir de nous faire redoubler les gestes.

Mais, ce soir-là, ce n'était après tout que sa respiration, que sa chaleur, où je commençais de vivre. Pourtant, devenu sensible au plaisir, je sentais que j'allais l'être aussi à la douleur. Car ce que je découvrais à peine, c'est que le sexe, lorsqu'on n'y est pas préparé et que l'imagination s'acharne à des fantômes de sentiment, ne peut résoudre l'énigme d'un visage, n'est pas suffisant pour nous tirer de notre mensonge habituel. Oui, dès ce moment où je m'approchai d'elle, je sentis tout ce que j'aurais à souffrir de Concha (j'aurais dû comprendre : de moi-même).

Le lendemain, Concha mit une blouse blanche et une jupe bleue et (c'était dimanche) s'en fut à la messe. Pour moi, je devais déjeuner chez Béatrice. Par quel prodige est-ce que je pus me lever, m'habiller, sortir, et, une fois chez elle, faire une mine acceptable, je ne saurais le dire. C'est bien quand nous vivons des moments exceptionnels que nous prenons la mesure de l'inattention générale. Personne ne remarque que nous nous trouvons dans une disposition qui frôle l'inconvenance ou le scandale, alors même que nous avons l'impression qu'elle éclate à tous les regards. Le monde est aveugle, et si nos secrets s'en félicitent, en revanche, notre vanité s'en console mal.

Je n'écoutais rien de ce qu'on disait et me surprenais malgré tout à y répondre. En imagination, je cherchais où elle pouvait être, le geste qu'elle esquissait, le sourire qui affleurait à son visage. Peu à peu, je jouais même à être ailleurs, goûtant à la fois le plaisir de penser à autre chose et celui de ne pas le laisser ignorer.

Je voulais, oui, que Concha ne s'occupe que de moi, qu'elle soit tout entière attentive à me séduire, à entretenir cette image déjà mythique que je me faisais d'elle. Mais sans doute, elle avait mieux à penser qu'à me plaire et mieux à faire qu'à penser à moi.

« *¡ Que escuela tienes !* » me disait Concha avec malice, ce qui voulait dire : « Quelle école tu as ! » et, plus clairement, « quelle habileté ! ». Car je mettais à la séduire toutes les ressources, les tics, les effets, les feintes de mon caractère qui me paraissaient irrésistibles et m'auraient fait mourir de rire si c'était moi qui les avais subis. « Si tu n'es pas aimé maintenant — ajoutait-elle avec tristesse — quand donc le seras-tu, *ojos chinos* (yeux chinois) ? Mais qu'ai-je à faire de t'aimer ? »

Sa main s'envolait, planait un instant à hauteur de visage, tremblait, enveloppait les mots à peine prononcés comme pour leur donner une forme, retombait enfin après deux ou trois hésitations.

« Qu'ai-je à faire de t'aimer ? Les mots ne peuvent pas répondre... »

Mais justement, moi qui ne comprenais pas un *traître mot* et préférais un mensonge bien dit à une vérité silencieuse, j'avais plus besoin de cette expression anodine que de la muette certitude de son désir. Et certes, je pouvais disposer de son corps, mais rien de sa mémoire, de sa pensée ne m'était accessible. Et au lieu de me contenter du plaisir comme tant d'autres l'auraient fait, je ne pouvais admettre que, de quelque manière, elle ne me dévoile pas ses souvenirs. Toujours j'ai souffert d'un manque d'indifférence. Amoureux, je le devenais lentement par dépit de la voir si tranquille. La sagesse aurait été de la prendre et — pour le reste — de garder le silence. Je le savais bien, sans vouloir le savoir.

C'est l'époque où naissent ces interminables conversations qui se déroulent n'importe où, tout se trouvant effacé de ce qui n'est pas cette confidence elle-même, ces aventures sans intérêt, ces détails interminables et que l'on écoute sans se lasser.

Mais Concha rapportait des histoires bien étranges. A huit ans, orpheline, elle errait dans les rues de Pampelune, courait sous le feu des mitrailleuses fascistes, était blessée à la jambe droite où une cicatrice, sèche et précise, venait à l'appui d'une narration faite d'ailleurs sur un ton calme tant une certaine dose de souffrance ou d'incertitude enlève aux voix qui en sont les interprètes, toute *intonation*. Jamais je n'écoutai monologue avec plus d'attention. Mais c'était que le monde dont parlait Concha avait ce côté fabuleux et démodé de celui des générations qui nous précèdent, aggravé par sa langue qui ne serait jamais la mienne. C'est ainsi qu'on s'aperçoit, aux noms cités dans le cours de la conversation et qui lui servent d'arguments, combien nous sommes différents de ceux qui n'ont pas notre âge. Toutes ces involontaires manifestations du langage, ces références à des noms de l'actualité qui nous sont inconnus (comme lorsqu'on cite des acteurs à succès ou des « vedettes » qui seront oubliés quelques années après), tout cela, comme il fallait se plier à son attention qui jugeait aussitôt sur l'apparence, me prévenait que Concha et moi étions bien éloignés pour nous entendre. Il y avait aussi, dans son maintien, une image si intense de la douleur (et d'une douleur insaisissable, populaire, comme éternelle) pour que le jeune bourgeois que j'étais sache comment s'y prendre pour l'aimer.

Toute cachette nous était propice. Je découvrais qu'une maison peut être autre chose qu'un rendez-vous d'habitudes et de souvenirs, qu'elle peut brusquement changer — devenir une sorte de château ténébreux empli de craintes et de plaisirs, bien pires et en même temps bien meilleurs que ceux qu'on éprouve, enfant, aux jeux équivoques entre camarades.

Mais le plus souvent nous nous retrouvions à la cuisine, pièce qui, avec les cabinets, a toujours eu mes préférences et mes rêveries. Ce qui me conduisait à la cuisine était pourtant le contraire du recueillement que je n'ai pas honte d'éprouver aux chiottes. Ce ne sont pas seulement les parfums qui y traînent — allant de l'eau de Javel à la friture — mais encore ce spectacle si varié que — visuellement — on n'en conçoit pas de semblable, qui me ravit : les placards et la batterie suspendue au mur, l'évier, le fourneau.

Le plaisir change un caractère aux mesures de son imagination. Or la mienne était grande. Je tournais sans fin autour de Concha, l'obligeant à des caresses continuelles que, sans doute, le danger qu'on nous surprenne, le côté insolite du décor, la peur inavouée de Concha (mais qui aurait pu être pire), rendaient pour moi si agréables. Je comprenais mieux comme la vanité nous pousse à risquer un bien duquel nous pourrions jouir sans dommages. Un soir, alors qu'on avait pu nous voir, nous sortîmes assez tard dans le jardin. On avait laissé tournoyer les jets d'eau sur les pelouses et, dans le clair-obscur, on aurait dit de ces mouvements, dont le vent nous apportait la rosée, qu'ils nous faisaient signe d'entrer dans la ronde. Le jardin était tout occupé de murmures, de rumeurs, de frôlements comme on se retourne avant de s'endormir. Ma main, sous la robe de Concha, était posée sur la cuisse, restait à cette place sans bouger. Elle avait rejeté la tête en arrière, ses cheveux longs pendant derrière le dossier et, lumineux, je pouvais voir le profil de son cou, ses lèvres minces.

Une autre fois, au grenier, encombré de vieux livres et de meubles :

« Tu entends ma respiration ?

— Non.

— C'est que je l'ai très silencieuse... »

Tout, en elle, s'écoulait au ralenti. Son corps était pour elle-même un objet d'étonnement, et elle parlait volontiers de ses particularités physiques sur un ton amusé, en hochant la tête, l'air de dire « c'est une personne bien étrange ». A chaque instant, elle revenait sur son pouvoir de ne jamais s'essouffler. Course, efforts, escaliers, rien dans sa respiration ne l'enregistrait. Ignorant toute manifestation, son rythme demeurait le même, et elle se fâchait — ne comprenait pas — si un autre, soumis à la même épreuve, émettait le moindre trouble. Ainsi, Concha m'apparaissait guidée par des principes et des décisions supérieures, de sorte que son apparence m'irritait, voulait me faire croire à un mystère qui l'aurait maintenue dans cette égalité de sensation. Mais, parfois, saisie de je ne sais quelle hâte, elle se déshabillait rapidement tout en conservant — pour la forme — de fausses résistances. « Faut-il vraiment qu'elle soit entièrement nue ? — Mais oui, et elle le sait bien. »

Et puis, allongée avec déjà cet air absent des régions inconnues où son regard allait naviguer sans cesse, elle attendait que je pèse sur elle de toute mon attente. Mais j'aimais à l'entourer de caresses, à la sucer, jusqu'à la faire trembler d'impatience.

La lumière trop blanche, les tableaux à demi

recouverts de draps de lit, les tapisseries sombres disparaissaient de notre vue.

Et nous mêlions la peur au plaisir comme il est habile de le faire. Au premier étage, que réparait-on à grands coups de marteau ? Le lit craquait, et qui savait que nous avions l'habitude de nous retrouver là ?

Mais déjà, la voici égarée et mon désir, rapide, bouillonne, se tend en aveugle... Puis nos deux souffles se séparent, tandis que nos épaules se joignent, que nos hanches s'assurent l'une de l'autre et (par d'imperceptibles secousses) de notre satisfaction.

Les heures que je passais alors, j'étais comme averti de leur rapidité, par ce sentiment depuis toujours si profond en moi de n'être jamais le même à quelques minutes d'intervalle. Incapable de me reconnaître dans ce que je fais, je m'applique à donner à mes actes ce sceau définitif d'où toute correction sera exclue. Ainsi faisais-je avec Concha, multipliant les risques, les plaisirs, les fantaisies. Quelquefois, après le déjeuner, je pénétrais dans sa chambre. Elle s'était mise au lit, tous volets fermés, dans une pénombre qui rendait le décor frais et imprécis. Le jour, pénétrant par le haut de la fenêtre, composait au plafond des paysages sous-marins. Elle-même, perdue dans un coin du lit, semblait abandonnée là comme au fond d'une grotte marine. Je m'approchais, pliais les genoux, gardais mon visage contre sa nuque. Elle feignait de dormir et continuait sous mes caresses. Je la brusquais un peu et elle n'en finissait pas de s'éveiller, de se retourner entre mes bras, d'étirer ses jambes, ses bras, sa paresse. Doucement, pour ne pas lui paraître importun, j'embrassais ses mains moites, ses épaules découvertes. Souvent, elle avait gardé son soutien-gorge et c'était un art que de le lui faire enlever, comme si son sommeil et non pas elle, en était responsable. Enfin, je l'avais contre moi, nue sous sa chemise (longue et qui, par sa blancheur, rendait plus éclatante la peau brune), bouche fraîche contre la mienne qui, dans son inexpérience, se voyait forcée. Par moments, je ne savais s'il fallait pousser plus loin ou m'enfuir tant mon audace me paraissait grande. J'avais peur de la voir reprendre conscience, je voyais le point où elle ne pourrait plus jouer à ce sommeil amusé et où il faudrait s'étendre sur nos personnages, nous regarder comme deux étrangers, qui sait, comme deux ennemis.

Et pourtant, elle n'était jamais gauche, ni gênée, ni contrefaite. Sans doute, j'ai commencé par la vérité, j'ai continué par des masques. Et comment décrire cet air penché, cet imperceptible mélange de sensualité et d'indulgence poussée parfois jusqu'aux plus délicieuses perversions ? Mais le visage que je préférais d'elle, c'était ce visage d'après l'amour, que je n'ai jamais retrouvé ensuite parmi tous les visages que j'ai empruntés. C'était peu de dire qu'elle s'épanouissait. Il me semblait que par quelque énigmatique transformation sa figure était envahie d'une couleur inconnue, qu'elle la restituait dans son souffle. Mais surtout, ce qui me bouleversait toujours, c'était, comme répandu sur la pellicule de jouissance qui estompait ses yeux, son nez, son sourire, une incroyable certitude dont le plaisir (car elle n'aimait que lui) était la source.

Oui, je ne séparerais pas — je n'ai jamais séparé — le fait de vivre de celui d'éprouver du plaisir. L'instinct sexuel est, chez moi, le premier à vouloir. Et les souvenirs qu'il me donne, non seulement je les accueille en moi avec reconnaissance, non seulement j'ose croire qu'ils me seront de quelque utilité au moment de mourir, mais ils me rassurent quant au bon emploi de ma vie, mais ils renforcent mon goût de la conquête et les raffinements que je lui porte. C'est la clé, et il faudra bien que chacun l'avoue.

Concha, cependant, avait toujours l'air de me considérer comme un amusement qui n'était sans doute que de la surprise à me voir si attaché à elle, si attentif à le lui cacher, si maladroit dans ces deux rôles. Elle penchait un peu la tête en me regardant comme on fait avec les enfants, les animaux familiers. Sans bouger, elle souriait avec tant d'évidence que ses yeux étaient pleins de cette danse imprécise et cruelle qu'ils m'opposèrent si souvent. Mais cette cruauté de Concha n'était ni méchante ni bruyante : elle la pratiquait avec une douceur qui donnait à ses jugements ce côté définitif qu'on prend avec les importuns, les imbéciles. Elle avait une manière d'approuver, « mais oui, mais oui » qui aurait dû me faire frémir. Même de bonne humeur, assez joyeuse — semblait-il — de se trouver avec moi, brusquement, et non par une froideur mais au contraire par une gaieté un peu trop forte, je sentais toute la distance dont elle m'éloignait, toute la mesure possible de son mépris. Elle était là pour s'amuser de moi, avec moi, à propos d'elle. Pas plus que je n'étais capable d'entrer dans ses raisons, elle n'aurait su démêler ce qu'il y avait de fort dans mes faiblesses. Il fallait accepter de payer de mine et Concha ne faisait guère crédit. Comme elle savait maintenir cet air de vous dire « qu'est-ce qui vous prend ? ». Et puis, elle restait indifférente à ces comédies d'oisifs où chacun grossit soigneusement ses goûts et jusqu'à ses incapacités pour qu'elles acquièrent ce côté « sympathique », déroutant et particulier où nous croyons exister et nous révéler comme un personnage. C'est ainsi qu'on insiste sur certaines de ses maladresses en soulignant que si elles sont si absolues ce doit être en compensation de qualités au moins aussi extrêmes. Un rêveur se plaît à dire « qu'il ne sait rien faire de ses dix doigts » parce que sa famille, s'étonnant qu'il soit si méditatif le lui a toujours répété sur un ton d'admiration et qu'il suppose que la proposition « ne savoir rien faire de ses dix doigts » entraîne celle « oui, mais quelle puissante cervelle ! » Un artiste dit son goût pour la musique, et proclame, en l'exagérant, son indifférence vis-à-vis de la peinture, en croyant que cette exclusive exalte sa compétence dans l'autre domaine. Ainsi, chacun, par l'obstination qu'il met à se créer des limites pour mieux faire valoir ce qu'elles contiennent, croit se rendre « touchant », « humain », à la fois compréhensible et mystérieux d'être si singulier dans ce déséquilibre.

D'une telle habileté, Concha retenait seulement que vous aviez des limites et pensait que vous étiez idiot de ne pas les taire. Aucun effet ne prenait : c'était vraiment *l'autre.*

Durant ces huit jours où nous fûmes seuls, je l'emmenai à une corrida. Concha avait invité une de ses amies, petit monstre bondissant qui n'arrêtait pas de s'agiter et de rire. J'en appréciais d'autant le calme, l'équilibre de Concha qui, insensible aux débordements de l'autre fille, souriait de cet air qui m'assurait qu'elle n'écoutait pas. Nous marchions vite, toujours accompagnés de la petite Espagnole et impatients de trouver un taxi. Des soldats passèrent qui, avisant Concha, me lancèrent quelques phrases obscènes. Il ne m'était jamais venu à l'esprit que notre intimité pouvait être connue de quelqu'un, ou même risquée dans une réflexion, tellement, quand on aime, on ne montre pas qui. Concha souriait, dédaigneuse. Déjà cinq heures, nous allions manquer le premier toro. Apercevant un taxi qui débouchait sur la gauche, je pris Concha par le bras, me mis à courir, la poussai à l'intérieur, et donnai, vite, le nom des arènes. Le chauffeur partit à toute allure. Sur le trottoir, le monstre n'en revenait guère, et criait de plus belle, agitant vers nous des bras minuscules. Concha me gronda beaucoup, en souriant.

Les arènes étaient petites, et Concha fit la moue en les voyant. Dans le public, beaucoup d'Espagnols étaient reconnaissables à leurs paroles affolées. Maintenant, Concha se moquait des épaules nues de ma voisine qui — disait-elle — aurait, en Espagne, été chassée à grands cris. Le second toro était entré, étourdi d'abord, puis, furieux, se précipitait sur les barrières, s'abîmait les cornes contre le bois. Peu de toreros savent manier la cape : ces premières passes furent désastreuses. Rembrunie, butée, bien décidée sans doute à me laisser supporter toute la responsabilité de cette médiocre exhibition, Concha ne répondait à aucun de mes sourires. Le public cria, sans vigueur, un de ces *¡ Olé !* de commande qui, du bout des lèvres, veut se faire passer pour spontané. Un vrai hurlement, cette fois, accueillit les picadors : (Les Français ont le cœur sensible.) Le toro, une maigre et souple bête à l'air malin, saisi, semble-t-il, de la même frayeur qui agitait le public, prit son élan, sauta, retomba à plat ventre sur la barrière et, s'aidant de ses pattes postérieures, parvint à passer de l'autre côté. Chacun était debout, criait, tandis que les spectateurs qui se trouvaient sur le passage du toro (dans ce minuscule intervalle entre arène et gradins où les toreros se promènent, boivent, regardent) fuyaient, sautaient, agitaient leurs mouchoirs. Je ne sais par quelle habileté le toro fut remis à pied d'œuvre. On le piqua encore un peu, par distraction. Tout le monde criait. Au *tercio de muerte* le torero n'avait rien fait qu'essouffler sa bête tout autour de la piste. C'était un grand bougre à l'air fatigué, sorte de Quichotte sans ardeur, lucide à coup sûr tellement il s'exposait peu. L'épée entra droit dans les poumons : la cuadrilla fit tourner la bête qui crachait bave et sang. Un silence désolé pesait sur l'arène. Comme le toro ne se décidait pas à mourir, malgré quelques agenouillements remplis de grâce, Don Quichotte s'approcha pour l'achever. Une fois. Deux fois. Trois fois. Les bonnes âmes commencèrent de s'agiter. Quatre fois, cinq fois. La clameur déferla du *soleil*, balaya la piste et sembla redonner vie au toro qui, sanguinolent, se mit à courir. On riait, on s'interpellait, on se mettait en colère. Très naturellement, Concha se leva et gagna la sortie.

On a beau être et se vouloir tout innocence, le côté « anormal » de mon amour pour Concha, je veux dire ce côté dont ma vanité aurait pu souffrir, me gênait. Mais ce malaise était superficiel et ne m'entraîna jamais à modifier profondément mes rapports avec elle. Avais-je entendu parler des « amours ancillaires » ? Je ne sais. En tout cas, il était courant qu'un de mes camarades bourgeois venant chez moi fasse, en voyant Concha, une plaisanterie que sa beauté rendait inévitable. J'avais soin, alors, de me contenir, de surveiller mon visage pour qu'il ne laisse passer qu'une satisfaction vague mais égrillarde. Car si je leur avais dit que je l'aimais, je ne crois pas que leur réaction aurait été de rire mais plutôt, stupéfaits, de me plaindre d'être si naïf pour prendre au sérieux ce qu'ils devaient considérer comme un droit de classe. Pour moi, je n'ai jamais eu le goût des confidences, j'en ai si rarement fait sur mes sentiments que mes meilleurs amis ne sauraient dire qui il m'est arrivé d'aimer, et il fallait que je me force pour être au diapason de ces plaisanteries. Non que je sois ennemi de la grossièreté : bien au contraire, je crois qu'elle est un des seuls terrains où l'on peut encore s'entendre. Mais, amoureux de Concha sans le savoir, je supportais difficilement que ce que je ressentais soit mêlé à des mots. Sur ce point, comme tous les autres, la bourgeoisie est un comble de vulgarité et d'ignominie. C'est là que j'ai appris à la haïr sans retour.

D'autre part, que personne n'ait deviné mon amour pour Concha que Béatrice, qui m'aimait, cela me donnait à croire qu'être amoureux est un état rare et qu'il est justement moqué faute d'être connu. En quoi j'énonçais un lieu commun dont j'étais satisfait.

Bien sûr, si je me rendais compte que cette aventure pouvait passer auprès des porcs de ma classe sociale, pour banale et vulgaire, résumable en tout cas à l'expression (naturaliste) : le fils untel couche avec sa bonne ; s'il était peut-être juste, objectivement, d'avoir quelques doutes sur ce que les imbéciles auraient pu appeler « la moralité » de Concha, je répondais à toutes ces hypothèses que par souci de lucidité je m'opposais à moi-même, je leur répondais par une confiance, une tranquillité absolues. Il n'y avait pas trace, en elle, de la moindre fausseté, tant la pratique du plaisir donne à ceux qui en sont imprégnés une indulgence que sont loin de posséder leurs détracteurs. C'est ce qui, à mes yeux, rendait Concha irremplaçable. Et pourtant, elle s'amusa toujours de ce qu'elle appelait mon « snobisme ».

« Tu crois que je ne te connais pas ? Tu as une de ces peurs que l'on te voie avec moi. »

Peut-être disait-elle vrai, peut-être étais-je de mauvaise foi. Mais je crois qu'elle se trompait, comme se trompent tous ceux qui veulent absolument nous prêter les défauts qu'il serait logique, suivant la règle moyenne, que nous possédions.

Amoureux de Concha, je ne pouvais que la plaindre de sa situation, et je mettais bêtement l'accent, lorsque je ne pouvais m'empêcher de parler d'elle, sur sa finesse, voire sur l'honorabilité de sa famille, sur ce que sa position avait d'exceptionnel — sans que, d'ailleurs, personne y fasse attention, une « bonne » étant une « bonne », un valet, un valet. La pitié, lorsqu'on en fait l'apprentissage, donne, avec des attendrissements toujours savoureux, la satisfaction de se croire seul à les éprouver. Je la voyais, telle Cendrillon, occupée à des besognes basses que le prince charmant (que j'étais) venait, de temps en temps, adoucir de sa bonté. On dit que l'amour est la richesse des pauvres. Nous étions pauvres : elle d'argent, et moi d'esprit. Pourtant, il m'arrivait d'être sincèrement ému de cette impossibilité pour Concha et moi d'avoir une vie, un amour visibles. Je ne sentais pas encore que toutes ces particularités, toutes ces barrières ne servaient en fait qu'à augmenter mon sentiment pour elle, à le redoubler de secrets. Lorsque, par exemple, Concha montait dans ma chambre, pouvais-je bien comprendre que cette sorte d'intimité qui nous était réservée, cette brusque et provisoire solitude qui nous réunissait dans la maison de mon enfance, sur un fond de musique et de rêverie ; cette joie que j'avais, de la voir ouvrir la porte, s'avancer vers moi et m'embrasser ; pouvais-je démêler que tout cela, bien loin, comme je le croyais alors, d'empêcher mon amour, lui donnait sa véritable mesure ? Certes, ces instants n'étaient pas pour moi sans plaisir. Mais j'étais empêché de les goûter pleinement par l'instabilité de mon caractère qui, au lieu de se plier à la possession de ma jeunesse, voulait en poursuivre d'autres, imaginaires, et me montrait sous la Concha que j'avais en ma présence, sous son sourire, sous sa prévenance — elle qui devait tant se forcer pour paraître heureuse — qui me montrait infailliblement une Concha que je ne posséderais jamais, détentrice d'une énigme qu'il me fallait atteindre.

Et pourtant, comme je l'ai déjà expliqué, j'observais ces moments comme s'ils ne devaient jamais reparaître tant ils me semblaient uniques. Ma chambre où, le soir, j'attendais la visite de Concha, était clairement tapissée, ce qui faisait ressortir l'acajou des meubles. Ceux-ci étaient couverts de chimères de cuivre, de visages couronnés, de muses volantes et soutenant des lyres, des dragons. Les couleurs étaient rouges et vertes. Rouges pour les tentures, les deux chaises au pied du lit, les abat-jour. Vertes pour le couvre-pieds et les fauteuils. La bibliothèque ajoutait une note plus libre — foisonnante de jaunes, de blancs, d'ocres, de marrons. Il n'y avait que deux peintures que j'avais choisies pour leur insignifiance. Mais le tableau le plus réel et dont Concha, brusquement et silencieusement apparue dans la pièce, semblait venir, c'était celui d'une femme assez petite dont le chignon, les yeux noirs étincelants, la légèreté, me surprenaient toujours. J'aimais ces peignes d'écaille qui posent sur la nuque une lumière. Elle-même — « bonsoir, *qué tal ?* » — semblait glisser sur le parquet sans un bruit (au point qu'elle me surprenait souvent), et, la voyant s'avancer vers moi du fond de la pièce avec cette liberté, cette aisance du maintien qu'on perçoit d'abord et qui donne tant de trouble :

Tes nobles jambes sous les volants
qu'elles chassent
Tourmentent les désirs obscurs et les agacent

Comme deux sorcières qui font
Tourner un philtre noir dans un vase profond,

je me levais, allais vers elle pour l'embrasser, ce dont, à chaque fois, elle paraissait surprise. Cet étonnement, je ne sus jamais s'il était feint ou réel. Il donnait, en tout cas, à nos baisers un air maladroit, imprévu car, alors que j'attendais contre sa joue en respirant l'odeur de ses cheveux, elle tournait soudain la tête et m'embrassait avec une expression d'indulgence ou de distraction sauf, quelquefois, où y trouvant sans doute son plaisir, elle se mettait à retrousser mes lèvres et à les sucer du bout d'une langue froide. (*Qu'elle est belle et bizarrement fraîche !*)

Un de mes pièges, lorsque je voulais la prendre, était de lui demander de m'aider à faire mon lit. Nous commencions, avec un grand sérieux, à enlever les draps. Puis, comme le matelas, ainsi débarrassé, montrait ses rayures, je faisais semblant de lui trouver un défaut ; Concha se penchait aussi et nous roulions ensemble, bientôt inextricablement mêlés l'un à l'autre.

Alors, une autre fois, pour se venger, il lui arrivait de coudre les manches et le pantalon de mon pyjama, ou encore de parsemer mon lit d'épines qu'elle allait exprès cueillir dans le jardin. Un jour, elle déposa sur mon oreiller une figurine — un nain de Blanche-Neige, coiffé d'un bonnet jaune. Je le garde encore.

Mais quand le désir me prenait d'elle dans les couloirs obscurs, où je la plaquais dans un coin, la caressais, son visage, sans me désapprouver — comme s'il ne me trouvait pas responsable — s'absentait dans quelles imaginations et peut-être dans le plaisir. Dans l'amour, ses yeux, un peu injectés, devenaient verts, inquiétants, fous bien sûr (fous d'obscénité, ou, de douleur, à ce point de douleur et de plaisir confondus).

Par contre, si elle se fâchait, c'était : « *¡ Véte a freir espárragos !* » — ou, mieux encore, car elle ignorait où ce pays pouvait être jusqu'à me demander, en riant, s'il n'était pas en « Russie ou par là... » : « *¡ Véte al Congo Belga !* », phrase qui, sans qu'on en puisse déterminer la source, revenait incessamment dans sa conversation, l'éclairait ainsi d'un exotisme involontaire... (D'ailleurs, croyant à une expression idiomatique, je mis quelque temps à comprendre qu'il s'agissait du Congo belge.)

Ma famille engagea bientôt une cuisinière sur l'avis de Concha dont elle était l'amie. C'était une fille assez grosse et naïve qui n'avait rien d'agréable hormis, sans doute, une fraîcheur due à ses vingt ans. Concha avait avec elle des airs de sœur aînée, la flattait du regard et de la main, la plaisantait avec une hauteur qui me prouvait que, même à l'intérieur d'une condition qu'on estime inférieure, les catégories sociales subsistent envers et contre tout. Cette fille de paysans était pour Concha, dont la famille comptait des médecins, des avocats, une amie supportée avec condescendance. Et pourtant, il y avait entre elles une bonne humeur constante que Concha aimait à expliquer par le proverbe qui veut que les Andalous se plaisent à chanter même si la nourriture ou la liberté leur fait défaut. (Et l'autre était bien Sévillane avec sa manière de zézayer et d'avaler les *s* systématiquement, demandant à Concha : « *¿ Ere vaca ?* » au lieu de « *¿ Eres vasca ?* » qui aurait évité ce mauvais calembour.) Ainsi, comme en face de certaines situations défavorables on réagit par ce qui, en soi, est le plus profond, Concha et son amie mettaient leur point d'honneur à toujours afficher la plus vive gaieté. C'était un plaisir inlassable de les écouter rire en *carcajadas*, d'entendre la voix de Concha donner une vive réplique à celle de sa camarade, plus acide ; la sienne, au contraire, avait ce velouté, cette ombre qui me la rendait plus étrange et plus lointaine, voix dont l'expression très maîtrisée ramenait à une lente mesure toutes ses paroles.

Je ne sais ce qui, dans les relations qu'elles montraient fort librement, me parut équivoque. Peut-être l'amour nous donne une fausse sensibilité qui, par moments, trouve juste dans ses audaces mêmes. Rieuses, comme pour un motif sans importance je venais les admirer, elles se caressaient rapidement avec une satisfaction que je trouvais exagérée. Je découvrais dans ces jeux Concha telle que je ne l'avais guère imaginée, non plus poursuivie mais poursuivante, non plus chassée mais chasseresse après une proie consentante bien qu'étourdie, et comme béate des attentions qu'on lui prodiguait. (Mais peut-être inconsciemment — je le découvrais seulement dans ce spectacle — avais-je subi la même tactique.)

Je sentais aussi, derrière la désinvolture de Concha, assez de finesse pour qu'elle puisse amener l'autre fille à une acceptation tout en lui en dissimulant l'importance. Se mêlait à ce sentiment de trouble la conscience obscure que j'avais vis-à-vis de Concha d'un secret, d'une incertitude à propos de sa vie passée. Le plaisir qu'elle me donnait avec une habileté extraordinaire, je lui en voulais un peu de me l'appliquer comme une expérience. Je comprenais assez que le partenaire aurait pu changer sans que son plaisir en soit modifié.

Elles avaient l'habitude, le dimanche, de faire la sieste ensemble. Ce jour-là, la maison était désertée du matin au soir. Ce n'est qu'à ce moment que je pouvais rester seul, faire du bruit s'il me plaisait, jouer du piano, mettre un disque dont, toutes portes ouvertes, je suivais la mélodie en me promenant lentement dans la maison. On imaginait que je travaillais. Et sans doute, c'était à autre chose qu'à ce qu'on croyait mais qui, dans un langage prétentieux, n'importait assurément pas moins : je travaillais à moi-même. Ces longues rêveries, ces lectures interrompues et surtout cette liaison (qui me mettait au monde), ont plus fait pour m'apprendre quelque chose que n'importe quel sérieux. Il n'y a peut-être rien d'autre à savoir.

Abandonnée, la maison m'invitait à aimer Concha. Je ne m'en faisais pas faute. Après le déjeuner, la sieste jouait pour nous le rôle d'une intimité, dans un amour auquel manquait sans doute l'essentiel : les nuits que l'on passe ensemble. Mais l'engouement de Concha pour son amie, la jeune cuisinière, devint si fort qu'elle exigea de rester avec elle, même à ce moment que j'imaginais appartenir à moi seul. C'est ainsi qu'un dimanche nous nous retrouvâmes sur le lit de Concha (car je n'avais pas voulu abandonner par un mouvement de vanité ce plaisir de la sentir allongée près de moi — et, d'ailleurs, on m'avait prié de rester sur un ton où j'aurais dû soupçonner un certain exhibitionnisme). Bientôt le jeu commença, et les caresses posées au hasard de l'obscurité me rappelaient ce soir où, à la faveur d'une panne d'électricité et pendant que nous nous attardions à chercher des bougies, nous avions pu, Concha et moi, nous approcher dans l'ombre et où, par erreur, j'avais enlacé l'autre fille qui, elle-même croyant que c'était Concha, avait ri tout en se laissant faire. Mais la sieste permettait à tous ces mouvements de paraître involontaires et comme d'une innocence amusée.

Vers la fin de l'après-midi, elles s'habillaient pour sortir. Alors, après m'avoir dit au revoir d'un sourire apitoyé où l'on devait comprendre : « Mais, voyons, cela n'a aucune importance, il faut bien que je sorte un peu », je la regardais sortir caché derrière les rideaux de ma fenêtre, puis, courais à sa chambre qu'elle n'avait pas encore pris l'habitude de fermer à clé. J'entrais, je m'asseyais sur le lit, je restais à regarder la soupente, la lucarne grise, la tapisserie bon marché et, surtout, l'armoire de bois blanc que, bientôt, j'allais ouvrir. Saisi par une extraordinaire impression de richesse au milieu de ce pauvre décor, je n'avais pas assez d'yeux, pas assez d'imagination pour m'en emparer, m'en imprégner encore. J'allais à l'armoire et, après l'avoir ouverte, enfouissais mon visage dans les robes, le peignoir, les slips, les combinaisons. Passionné, je l'étais de tout ce qui pouvait me donner d'elle une image inconnue, sur laquelle elle ne pouvait plus avoir de prise et qu'elle abandonnait à l'habitude ou à la négligence. Ainsi de ses vêtements où traînaient de même que dans ses cheveux, des odeurs au-devant desquelles j'employais tout mon désir (odeurs planes, si j'ose dire, sans rien de provocant). Mais je ne manquais pas d'opérer aussi dans le petit bureau où elle enfermait ses papiers et où j'avais l'espoir de découvrir des lettres. Je n'avais pas la sensation d'être jaloux, car rien ne m'aurait sans doute fait souffrir de ses aventures — mais curieux de tout ce qui avait pu entrer et compter dans sa vie, comme un amateur de poèmes donnerait cher pour connaître le manuscrit et les variantes d'une œuvre qu'il admire. J'avais ainsi la sensation d'arriver à Concha, à la Concha actuelle que j'avais sous les yeux, par le biais de mille retouches, de mille tentatives avortées et qui avaient créé cette femme que j'aimais. Car, bien loin d'en vouloir à son passé, à sa vie inconnue, j'aurais voulu la connaître mieux pour l'aimer avec plus de subtilité, de vice, de délicatesse.

Je fouillais donc ses papiers avec l'ardeur d'un critique sur le point de prononcer sur un personnage célèbre un jugement inattendu et qui, même s'il lui est défavorable, ne diminuera en rien son prestige mais lui donnera au contraire plus de noirceur ou d'ambiguïté. Je répandais les photos sur la table, éliminant celles que je voyais trop innocentes, cherchant le visage, l'attitude, l'ami, la camarade, la parente qui pourrait me livrer cette femme ; je feuilletais ces papiers naïfs et parfumés. C'est ainsi qu'avec des lettres d'ailleurs insignifiantes (et qui me confirmèrent seulement ses convictions républicaines) je découvris des poèmes et des chansons découpés dans des journaux — mais, ce qui était plus étonnant encore, parfois recopiés assez malhabilement sur des feuillets. Cette découverte me surprit davantage que si j'avais lu dans les carnets intimes d'un libertin qu'il croyait en Dieu. C'est toujours une nouvelle douloureuse — douloureuse pour notre vanité — mais aussi enchantée — d'apprendre par hasard que quelqu'un peut vivre en dehors de notre pouvoir, de nos meilleures hypothèses à son égard. Et, devant ces poèmes, j'avais le sentiment de la surprendre mieux que par une confidence, même si dans sa vie (et peut-être à cause de cela) ils n'avaient été qu'un accident.

Ainsi passèrent mes premières vacances avec Concha. Et, de ce nom qui signifiait à la fois crique, écaille, coquillage — mais aussi la plage elle-même —, j'entrevoyais la beauté ronde et rugueuse, crissante comme le sable qu'on fait jouer entre les doigts mouillés, la beauté ciselée par on ne sait quelle obstination, isolée pour qu'elle puisse avoir ce charme des objets ramassés par hasard. Mais bientôt on ne peut plus se passer d'eux tant ils nous semblent parfaits, doués d'un pouvoir séparé du monde et pourtant sécrété par lui. Inaccessibles, il semble que la vie se soit retirée d'eux pour ne plus en troubler l'architecture. Ils sont là comme les vestiges de maintes retouches — que nous ne connaîtrons jamais. Oscillant dans notre main, ils ne peuvent plus qu'être caressés ou détruits. Mais rien ne saurait les modifier sans les amoindrir. Ainsi, le nom de Concha, où l'accent placé sur la première moitié sonnait comme un appel de cor ou de colère, en se grossissant du « tcha » final, s'apaisait, se refermait sur une satisfaction inattendue. Et ce mot, chargé de ses prononciations différentes, gisait en moi comme une vieille imagination que l'on enrichit à tout moment de ses trouvailles. La femme qui le portait me semblait coller si parfaitement à lui, que je ne la séparais pas de lui, que je ne la possédais vraiment que par son intermédiaire. Et je me disais, non sans emphase, que, de même que les coquillages si nous les approchons de notre oreille nous font « entendre la mer » d'où ils sont éclos, de même, à les côtoyer, certains corps — par quelle illusion ? — nous rendent le murmure de l'infini matériel.

II

En octobre, je repartis pour le collège. Je devais revoir Concha, rapidement, à Noël et à Pâques. Et puis, j'appris qu'elle avait disparu brusquement, après une colère mystérieuse dont je ne sus jamais l'explication.

Pour les vacances, je me trouvai d'abord assez désemparé. La privation de Concha, je ne la ressentais pas encore, tant il me faut d'épreuves, d'oublis et de silence, pour que je puisse me prononcer sur mes attachements. A quel point je peux manquer de sang-froid (ne rien savoir résoudre), et suis obligé d'attendre, d'attendre sans fin — et parfois inutilement — pour savoir ce que je pense, cela ferait rire si l'on me connaissait d'un peu près. Sur le moment, je sens si bien toutes les possibilités d'une opinion ou d'une attitude, je les prévois si clairement que, n'en pouvant choisir aucune par l'ennui où je suis de toutes les concevoir, je m'en remets à une sorte d'improvisation. Plus tard, mon inconscient ayant oublié qu'il avait à se prononcer, parle enfin selon sa fantaisie.

Béatrice, que l'on avait mariée à un homme de trente-cinq ans, d'ailleurs agréable (et qui eut l'habileté de lui faire tout de suite un enfant), habitait une propriété à quelques kilomètres de la nôtre. Me devinant seul, elle m'assura avec exagération de son amitié. Quand je fus la visiter après son accouchement, elle était debout, attentive de nouveau à séduire. La maternité lui donnait un air harmonieux qui changeait de sa nervosité d'autrefois. Habillée avec raffinement, parfumée et décorée avec recherche (portant des bijoux un peu extraordinaires, qu'elle aimait faire admirer de très près), elle évoluait devant moi que le collège avait rendu gauche et importun. Je ne trouvais rien à lui dire qui pouvait alimenter, comme jadis, nos rires un peu fous. Je m'apercevais que je n'avais été si désinvolte que faute d'avoir connu certains secrets. L'autre aime que nous soyons inconscients et c'est pourquoi nous ne plaisons jamais mieux que lorsque nous ne cherchons pas à plaire. J'avais plu à Béatrice au temps où je ne la désirais pas, car il m'était facile, alors, de rester naturel. Mais Concha avait éveillé mille visions où je découvrais les autres tels que je ne les avais jamais vus. Il m'était désormais impossible de ne pas y penser en regardant Béatrice. Elle s'amusait à augmenter mon trouble par mille approches ou propos. Mais quelle ne fut pas ma surprise, la conversation étant venue sur Concha, de la voir m'en faire des compliments et me montrer une lettre d'elle (à moi, elle n'avait rien écrit) tout en m'assurant qu'un bon souvenir m'y était réservé. J'appris plus tard, par des recoupements, ainsi que par une longue confession de Béatrice pleine de réticences et de rétractations, qu'elles avaient été amies au point de déclencher des soupçons. Tout cela pendant mon absence. Béatrice alla jusqu'à prétendre que Concha avait pris prétexte de son mariage pour s'en aller. La raison me parut excessive : on aimait Concha, elle ne pouvait tomber dans une quelconque jalousie. Mais Béatrice tenait beaucoup à cette imagination, prenait en me parlant de Concha son air des grands jours, m'assurait (je savais trop où elle avait pris cette anecdote) que pour faire briller ses yeux elle s'infligeait « à l'espagnole » le supplice de l'eau salée. Je lui demandai si Concha lui avait parlé de moi. Mais à cela, elle ne voulut pas répondre. Par contre, elle redoubla d'attentions à mon égard. Certaines femmes ne vous aiment que parce que vous avez été aimé. Et qui sait si Béatrice, en me provoquant, ne voulait pas vivre un peu de l'amour qu'elle savait — ou devinait — que j'avais eu pour Concha. Entre les sensibilités qui ont aimé le même corps, se crée cette trouble complicité — le calcul d'apprendre un autre et peut-être le véritable visage de qui, par l'amour, nous fut si étranger.

Nous étions en septembre, et Béatrice m'invitait quelquefois l'après-midi. J'aimais cette campagne qu'on rencontre aux portes de la ville. Au milieu des vignes et des bois, la maison semblait régner sur l'inconnu. Je marchais de longues heures, traversant les palombières où des coups de feu éclataient parfois contre mes oreilles. Nullement effrayé, joyeux au contraire d'un risque si facile, je jouais à me recréer une imagination aventurière. Ce calme seulement déchiré par les détonations, ces lourdes vignes solidement plantées dans la terre jaune, ces parfums de feuille dans la rosée... Je rentrais en sueur, les pieds trempés, mes pantalons tachés de glaise et de boue. Béatrice avait allumé du feu dans le salon. Cinq heures. Elle se levait, allait s'étendre sur le grand canapé rouge où sa robe noire, soudain, mettait comme une menace. Elle relevait les bras au-dessus de la tête.

Nous restions là, une heure ou deux, jusqu'à

ce que les voitures amènent son mari et mon père qui me raccompagnait en ville. Ces moments étaient délicieusement équivoques. Je glissais mon regard vers Béatrice, vers ses épaules nues, et son regard me cherchait. Nous ne parlions plus. Les portes-fenêtres ouvraient sur le jardin et le soir avait le parfum des prairies humides, vif, insaisissable. A mesure que le temps passait, je voyais la lumière s'effacer du visage de Béatrice. Elle s'éteignait avec ces après-midi, et c'était à peine si je pouvais surprendre dans ses yeux, dans son maintien, la promesse cédant au rêve sombre de l'hystérie.

Son mari et mon père arrivaient et, à l'instant, Béatrice devenait trop gentille. Une certaine dose de prévenance devrait être un sujet d'inquiétude plus que de repos. Béatrice et son mari s'embrassaient avec passion. Lui ne me voyait pas. Je n'étais, à ses yeux, qu'un petit garçon maladroit, un peu ennuyeux, un peu drôle, qu'il invitait afin que sa femme puisse satisfaire, hors de sa présence, son besoin de bavardages. Les autres n'entrent pas dans le désir.

Un soir, nous attendîmes en vain les voitures. Béatrice paraissait nerveuse, ranimait le feu d'un geste saccadé. A huit heures, elle commanda que mon couvert soit mis. Je ne sais comment, la conversation prit, au cours du repas, un tour un peu littéraire (mais Béatrice aimait beaucoup ce qu'elle appelait *les idées*). Nous discutions — je m'en souviens bien — de l'érotisme. « Pour moi — me dit-elle — c'est la simple phrase de Juliette lorsque, s'éveillant de son faux sommeil, elle trouve Roméo, mort à ses côtés. Elle se penche sur lui, l'embrasse et n'a que ces seuls mots en parlant de ses lèvres : tièdes encore. Je trouve ça extraordinaire. » Je dis que je trouvais cela un peu fade, et nous restâmes quelque temps dans la littérature. Je tentai, sournoisement, de parler de Concha. Béatrice rit : « Tu vois cela dans un roman ? Son ombre planait entre nous... Non, parlons d'autre chose, je t'en prie. » Qu'elle était bien défendue, elle aussi, par une ironique gaieté. Le téléphone sonna, enfin. Le mari, retenu en ville par un client, rentrerait tard. Mon père l'avait prévenu qu'il ne pourrait non plus venir me chercher. Il n'y avait qu'à faire mon lit dans la chambre du premier et je resterais jusqu'au lendemain. Béatrice, essoufflée (avait-elle couru ?) entra, lumineuse, et me dit tout cela de très près, de si près, de si bon cœur, que nos fronts se touchèrent, nos lèvres, nos regards heureux. « Tièdes encore », me souffla-t-elle à l'oreille. Et nous rîmes, assez follement.

La fenêtre ouvrait sur le jardin. Parfois, quand ses cheveux suivaient, rapides, l'inclination de son visage, je devinais le mouvement contraire d'un platane, son oscillation de brise, de fraîcheur. Dans la cour, un chien aboyait et une voix de femme le réprimandait en grognant. Mille bruits, que je ne pouvais distinguer de nos souffles, de nos frôlements contenus, établissaient autour de nous leur concert. Un pan de ciel brillait au-dessus de sa figure nocturne et, quand elle parlait dans la pénombre, on aurait dit une parole lointaine, oubliée.

Nous nous faisions plaisir, avec justesse. Je découvrais que l'amitié, mêlée de désir, lorsqu'elle s'adresse à l'imagination, peut la satisfaire bien davantage que l'amour, parce que plus attentive, plus libre aussi à choisir ses effets, ses caresses. Béatrice était pour moi une partenaire inespérée qui m'aimait, elle, comme on aime la violence du plaisir. Je n'avais pas le temps ni la volonté d'établir des comparaisons, mais le corps a sa mémoire que la mémoire ignore. Je recomposais les jeux dont nous avions, Concha et moi, peuplé nos découvertes. Ç'avait bien été l'approche d'un domaine inconnu, une mystérieuse et pourtant précise randonnée qui m'avaient conduit à cette femme, la première, la dernière aussi à occuper en moi la place de la surprise. Béatrice, au contraire, était toute facilité, gentillesse. Elle n'aurait pas songé à m'intriguer autrement que par la comédie assez puérile où, à la première tentative un peu sérieuse, elle avait su que je succomberais.

Je portais à Béatrice un intérêt qui venait de ce que, depuis toujours, nous étions désignés pour être complices l'un de l'autre. Complices, avec ce sentiment si intense d'être de la même race, faite pour le plaisir, race d'animaux habitués à leurs caprices et à ce que le réel s'y plie.

Béatrice était simple, attentive à son plaisir mais inquiète du mien, m'en parlant avec ce rire un peu sombré qui la rendait si fraternelle. Je n'avais plus, comme avec Concha, la sensation toujours angoissante de devoir atteindre quelque mouvement de désarroi, mais celle de me fragmenter hors de moi-même, de retrouver ma propre chaleur dans la proximité de cette chaleur amicale.

Ainsi, Béatrice était pour moi ce monde où je me reconnaissais avec une joie mélangée d'irritation, ce domaine clos, parfait, trop parfait. Mais avec Concha, j'avais abordé à quelque dangereuse aventure, aux prestiges d'une fable ou d'un mythe.

Ma tête reposait sur le ventre de Béatrice, ses mains sur mes tempes en sueur, son visage sur le traversin défoncé quand le ronflement d'une voiture, rendu plus inquiétant par notre calme, la fit bondir. En un instant, elle se trouva repeignée, indifférente. Je la voyais se transformer dans la pénombre, prendre ce visage que son mari interrogeait peut-être avec la même passion que je portais au visage de Concha. Alors, ce malentendu me parut comique. Je ris lourdement comme j'ai l'habitude, malgré les furieux « Tais-toi ! Mais tais-toi donc ! ». Elle sortit avec précautions. Je l'entendis courir jusqu'à sa chambre. Le mari claquait les portes, s'annonçait avec une étonnante lenteur, montait pesamment l'escalier. Mais je me moquais bien de tout cela. Je n'avais rien appris de ce que Concha avait pu confier à sa jeune amie. Je ne voulais que le sommeil, l'amitié de mon plaisir.

Ce soleil qui, en automne, rend les vignes et les sous-bois tièdes, me réveilla en traversant les rideaux de ma chambre inconnue. Je compris qu'il était tard aux cris rapprochés. Je ne bougeais pas, attentif à cette glace du réveil capable de composer les éléments les plus étranges où ils se prennent. Le monde s'organisait, se préparait mais, absent, dans une sorte de ronde, un mouvement comparable à celui des rames dans l'eau plane.

Un bruit. On ouvrait ma porte.

Du coin de l'œil, j'aperçus Béatrice, nue, ses cheveux blonds noués par un ruban noir. Elle portait mon déjeuner sur un si curieux plateau que c'est lui, sans doute, que je me rappellerai le mieux, plateau bleu décoré de chimères, d'oiseaux, de fleurs blanches, grimpantes.

Dans le geste de Béatrice qui tenait ses deux bras un peu repliés sur sa poitrine, il était impossible de ne pas penser au tableau de Gauguin, ou plutôt à son contraire lumineux mais plus fade, moins pénétrant (la même différence existait sans doute entre Concha et Béatrice). Je souris en pensant que, par une indéniable capacité de mise en scène dont elle faisait une règle de vie, Béatrice, en voulant m'étonner, n'avait réussi qu'à provoquer une comparaison défavorable. Elle restait sur le pas de la porte, observatrice, attendant sans doute que je vienne la prendre, mais je restai immobile, curieux de ce qui allait arriver. Hésitante, elle fit quelques pas dans la pièce, comme pour se faire admirer en tournant brusquement la tête pour s'assurer de mon sommeil. Puis, ayant déposé le plateau sur la table, elle passa dans le rayon qui tombait des hautes persiennes bleues, s'enveloppa de cette lumière, se fit désirer encore plus et vint se pencher sur moi. Doucement, et de telle sorte qu'elle semblait accepter ce jeu qui veut que l'on s'approche l'un de l'autre sans en avoir l'air, comme deux aveugles isolés, elle écarta les draps, y coula une main fraîche que, bientôt, je sentis me caresser avec une science un peu brutale. Entre la soie du pyjama du mari dont j'étais affublé, et ma peau encore chaude de sommeil, les doigts de Béatrice cherchaient, s'arrêtaient de temps en temps lorsque, sans doute, l'aimantation devenait inévitable. Elle me branlait doucement. Penché sur moi, je distinguais entre mes cils à peine entrouverts son visage crispé, et d'autant plus lisible qu'il se croyait seul observateur. Le parfum un peu fort de Béatrice m'aidait à composer un plaisir d'une rare violence, animé que j'étais des mouvements élémentaires comme celui de me retourner dans mon réveil, que je différais pourtant sous les caresses. Enfin, sursautant, je l'attirai à moi.

Je savais que ces minutes d'amusement, si courtes, si mensongères (je ne devais jamais revoir Béatrice) n'avaient pas été perdues, qu'elles se transformeraient — j'avais tout le temps — en une vérité future. Il faut bien savoir faire quelque chose des facilités qu'on se permet avec la vie.

La vie d'étudiant à Paris, si l'on a le goût d'un certain isolement, doit être la chose du monde la plus aventureuse. Et à la rentrée, commença pour moi une de ces périodes, qui, lorsqu'on est parvenu pour quelque temps à un relatif équilibre, nous font douter rétrospectivement de notre raison. Au fond, depuis Concha, je m'étais laissé aller à la dérive. Tout peut être évité mais rares sont les caractères qui le méritent : ce que j'avais mérité, moi, c'était sans doute une leçon.

Tantôt je regrettais Concha et tantôt non, croyant que ma liberté n'en serait que plus inattaquable. J'avais eu, un moment, la faiblesse de croire que cette séparation était la meilleure conclusion d'une aventure qui n'aurait mené nulle part. Mais je raisonnais ainsi, comme d'autres l'auraient fait pour moi, si je leur avais demandé conseil, c'est dire que j'énonçais avec satisfaction une de ces fausses formules qui, au contact d'une réalité, paraissent aussi absurdes que nous-mêmes qui avons osé les subir.

Trop jeune, on répugne aux situations franches et, si l'on s'y résout, c'est toujours avec ce tragique qui achève d'en brouiller le sens. Alors, comme un aveugle avance à tâtons, mains tremblantes, je projetai au-devant de moi toute l'incertitude, l'incohérence, le faux-semblant dont j'étais capable, créant en face de mon attention cette zone d'insécurité que je croyais venir du monde et qui m'aurait désespéré si j'en avais compris les vraies raisons. Ainsi, les objets les plus divers, les individus les plus dissemblables, me semblaient tous enveloppés de cette carapace d'absence où j'aurais dû reconnaître celle qui me séparait d'eux. Avec une obstination d'insecte, je sécrétais, je filais de l'obscur. Et, certes, une des constatations les plus pénibles de la vie est de s'apercevoir que les autres existent en dehors de cette fable dont on les avait parés. Ils se moquent bien de nos pensées, de nos imaginations, de nos calculs. Déçu, et sans doute pour ne pas avoir tout à fait tort, on écrit des livres.

Les premiers temps, je préparai mes sorties avec la précision d'un explorateur ou d'un savant. Le jour que j'avais choisi, je voulais qu'il éclate de plaisir et que rien n'y soit abandonné, sauf au hasard. Je dressais mes plans après m'être douché car, alors, j'avais l'impression d'être lavé d'une semaine imbécile et, à nouveau, d'être près d'affronter l'inconnu. Déjà la fatigue me quittait, laissait place à une disponibilité que je sentais m'envahir avec la douceur et la complicité de l'eau. J'éparpillais sur mon lit les programmes et les plans, faisais mon choix parmi ces offres multiples, balançant un peu, comme lorsqu'on attend d'être bien assoiffé pour boire, entre tel divertissement et tel autre, même si je savais d'avance celui que je choisirais.

Ou bien alors, j'allais me perdre dans un Monoprix. Car les comptoirs brillants, multicolores, croulant sous les séries bon marché ; les vendeuses en uniforme qui sont toujours plus belles à la parfumerie (j'arrivai à une collection de flacons), ces femmes, ces fards, ces parfums, la musique, c'était la liberté, le désir, la caverne des trésors. Je crois que je passais des heures dans la lumière au néon à marcher d'un comptoir à l'autre pour qu'on ne me remarque pas. Etre inconnu, mais aussi :

être regardé pour la première fois avec cette indifférence qui, lorsqu'elle s'entrouvre sur une nuance d'intérêt, n'en paraît que plus intense, plus précieuse.

Ces distractions ne durèrent pas longtemps. L'habitude (ou la condamnation) me fut bientôt infligée d'errer sans fin dans les rues, les cafés, ne pouvant me fixer nulle part, ni m'attacher, ni m'arrêter dans cette course. Tel, me croyant enfin quelque sublime inconnu et prenant plaisir à mon anonymat, je dédaignais la foule et m'en découvrais d'autant plus solidaire qu'elle me faisait plus isolé. Je n'étais si retranché qu'à cause d'elle et des humiliations dont j'imaginais qu'elle me comblait. Chaque contact m'était douloureux, je l'abordais sous un masque plaisant. C'était alors une explosion de gaietés et d'ironies qui n'étaient que le revers de ma tristesse. Le sourire, le calme, m'étaient interdits. Je ne connaissais que le rire ou la rage. Ainsi livré aux extrêmes, mais gardant assez de force pour les désirer, je n'étais plus qu'une oscillation épuisante, qu'un irrémédiable passage.

Je marchais, interminablement. Cette ivresse de la rue, je n'ai su que plus tard à quel point elle était banale. Bientôt, je devins attentif à cette comédie qui se joue chaque soir dans les rues de Paris, à ce monde retranché du monde, à ces mille aventures que noue et dénoue le hasard, à ces regards qui sont, dans le même moment, permission et refus, aux imaginations qui nous poussent à des poursuites dont on sait par avance l'inutilité, le ridicule. Toute rue m'était inévitable si elle renfermait des passantes désirables. Mais aujourd'hui, je croirais plutôt que le désir n'est qu'une excuse que nous accrochons, faute d'en connaître d'autre, à notre besoin d'inconnu. Car une fois ce désir satisfait, et notre corps, nous nous apercevons que, dans presque tous les cas (mais, justement n'étais-je pas à la recherche de l'exception ?) rien n'est résolu, bien au contraire, et que c'est notre pensée et sa seule curiosité qui nous jettent au-dehors. Même l'amour n'empêche pas ce vertige qui parfois saisit certains dans une situation où quiconque les croit *parfaitement heureux.*

Et le plaisir que je prenais à être abordé par les putains, jouant à croire qu'elles aient, pour me parler, de mystérieux motifs, n'était que l'occasion de décider : « Au moins, puisque nous nous accommodons mal des belles âmes, saoulons-nous des pires. » Mais elles me désespéraient de jamais trouver de la grandeur dans ce qu'on appelle le mal. S'il y a une vérité dont nous puissions être sûrs, c'est que la bêtise est la même partout.

Ces marches à demi conscientes m'amenaient quelquefois fort loin et, pour rentrer, je prenais le métro où la contemplation des visages m'était un réconfort. L'air chaud des couloirs, la fadeur des parfums comme, nauséeux, d'un hôpital, l'agitation et le côtoiement — à se toucher — me faisaient croire à une catastrophe dont on échappait par ce voyage, à un train de réfugiés.

Il m'arrivait, dans le seul espoir d'une occasion favorable, d'accomplir des trajets incohérents. Ainsi, je ne connais pas de paysage plus désolé que — sur la ligne Montparnasse-Etoile — le passage à l'air libre avant d'arriver à Passy. Et je me suis toujours promis d'aller me promener en hiver sur ces berges abandonnées, bien faites, m'a-t-il semblé, pour une méditation enfin sérieuse. Pourtant, je traînais surtout du côté de Saint-Lazare — merveille que le *Printemps* aux moments d'affluence : les femmes se mêlent, se confondent, débordent, par grappes entières, dans la rue (impossible de suivre bien longtemps la même silhouette) — ou, le soir, dans ce jardin qui commence les Champs-Elysées. Et toujours cette marche, ces courtes haltes, cette peur de rentrer dans une chambre sombre, anonyme et où (n'ayant rien pu arranger selon mon goût) les bibelots, les portraits et les bronzes n'étaient pas près de me détendre. Mais j'étais infatigable quand je croyais encore que quelque chose m'attendait. « Ne rentrer pour personne — me disais-je — ne se lever, ne s'habiller, ne s'agiter pour personne ; traîner ainsi sans le moindre recours... »

Et je me rappelais mes retours à la maison du temps de Concha, lorsque, m'ayant guetté depuis la fenêtre, elle soulevait le rideau, agitait la main. Et je voyais son visage déformé par la vitre me regarder avec, peut-être, cette joie qui la faisait courir, m'ouvrir la porte.

Je marchais. Rien ne me semblait réel : pour voir quelque chose, il faut que j'aie commencé de m'occuper de quelqu'un.

Ainsi, le souvenir de Concha m'assiégeait-il. Grande leçon que ce à quoi nous nous raccrochons en dernier lieu. Et, sans doute, la fidélité consiste à garder en soi cette place intacte d'émotion. Presque toujours, je la revoyais dans des poses obscènes, mais nimbée de douceur, ou bien me parlant avec enjouement, mimiques et sous-entendus, car alors son visage s'éclairait comme à un jeu très difficile. Son mystère était celui d'un âge où, sans doute, j'avais été charmant par ce que j'ignorais de moi-même et odieux par ce que je voulais en faire savoir. Et pourtant, malgré cette vanité maladive, j'avais su, j'en étais sûr (je voulais en être sûr) m'éprouver pleinement. Mais toujours, en moi, cette accusation : « Tu aurais pu l'aimer davantage. Souviens-toi du jour où, parce que tu croyais avoir tout ton temps, tu as négligé de la prendre. Quel prix le temps a conféré à ce négligeable moment. »

Parfois, au contraire, je trouvais dans cet abandon, dans cette solitude que je m'efforçais même de rendre plus totale, un enivrement qui m'aurait peut-être fait maudire la réalisation de mon désir auquel je croyais tenir plus qu'à cette imprévisible coulée de jouissance. Bien qu'ils soient d'une rare violence et comme avant-coureurs d'un monde enchanté, j'accueillais ces moments à l'improviste, et ce n'était nullement ma préoccupation de les connaître. Car je ne voyais que l'absence de Concha et tout ce que cette absence comportait logiquement pour moi de regrets et de doutes. J'étais plus ému par la pensée que j'aurais dû l'être, par l'imagination de ce que je perdais, que par une douleur imprévisible que je connaissais cependant : elle me jetait sur mon lit, ridicule, incapable du moindre geste. Mais si, par hasard, le bonheur m'envahissait d'être seul, Concha aurait pu entrer dans ma chambre (solution qui me venait la première à l'esprit, car je dédaignais assez de construire des hypothèses raisonnables qui, on le sait, ne sont jamais *celles-là*), je crois que je l'aurais déploré parce que ce bonheur incroyable se serait surajouté à un bonheur d'essence différente mais moins frivole et qui, alors, ne me préparait nullement à en recevoir d'autre. Je me disais aussi : « Qui sait si je regrette vraiment Concha — ou bien cette sécurité, ce confort, où la paresse m'était encore possible » (mais les deux étaient indissociables). Car ce que j'avais rêvé si fort dans mes moments de désarroi, était tout aussi bien Concha que, honteusement, la douceur d'un après-midi parfumé et entouré de livres, de soirées inquiètes sans doute, et peut-être même de ce faux décor, mais où passait toujours un murmure complice, une protection du monde. La sensibilité que j'avais alors, doublée de la certitude que je possédais ce qui vivait autour de moi, augmentait cette complaisance, ce goût du petit plaisir. Le matin, tandis que j'hésitais si je me réveillerais, Concha entrait dans ma chambre, tirait les longs rideaux rouges que je me plaisais à fermer même le jour, à cause de la lumière confuse dont ils inondaient la pièce. Puis, elle m'embrassait ou repartait très vite, me caressant ou échappant à mes gestes d'appel. Si c'était pour me caresser, elle s'approchait, laissait son visage au-dessus du mien, ce visage doté pour moi de signes et de parfums à peine perceptibles. J'avais l'impression d'un énorme fruit, près de m'écraser de sa saveur.

En rêve, maintenant, je la voyais toujours, errante dans ces grandes pièces où notre amour avait pris ce côté merveilleux, « pays lointain » : grandes salles froides, encombrées, où passait un souffle poussiéreux et où nous nous promenions le soir, effleurés par les longs doigts des palmiers en pot. Ces rêves m'étaient particulièrement pénibles. Concha apparaissait avec le visage de la fierté et, quelquefois, d'une sorte de confiance. Mais il était toujours question de la perdre, et de la rechercher longtemps. Elle me semblait si en dehors du réel — et de la réalité la plus concrète comme celle de se lever, s'habiller, se laver — que j'avais toujours peur, et sans doute à tort, qu'elle se perde dans un lieu désert sans savoir, pour en sortir, faire des gestes aussi simples que prendre le train, partir.

Réveillé, je tentais de lire, de travailler. Mais qu'avais-je à faire de ces occupations en ces jours où chaque visage me semblait encore à prendre par surprise ? Combien de fois ai-je interrogé les regards, soucieux d'y voir monter le tumulte intérieur dont j'étais envahi. Des corps nouveaux. Mais j'étouffais du geste qui me les aurait donnés.

Peu à peu (et par accidents), je me mis à boire sans nulle autre intention que celle de me distraire (car ma mémoire, indestructible, aurait résisté à tous les narcotiques). Ces beuveries n'avaient rien de tragique et jamais, peut-être, je ne me suis tant amusé que durant ces nuits où, avec deux ou trois camarades, nous hantions les petits bars et les rues à putains, parlant à tout le monde, nous faisant mille amis d'une minute, tombant en pleine rue pour une bagarre, riant d'absurdités admirables. On parle du désespoir des ivrognes, mais quel enthousiasme, quelle insouciance étaient les nôtres. L'alcool commença même de me guérir en me fixant un peu. Nos ivresses étaient méthodiques avec une invention qui, si nous l'avions appliquée à autre chose, nous aurait valu l'estime de tous. Nous passions des nuits entières dehors, jamais fatigués, trouvant chaque fois un plaisir neuf au vertige, aux calembours involontaires. Mais le caractère vraiment remarquable de ces soirées était leur côté systématique. Le soir, quand munis de bouteilles, mes camarades faisaient irruption dans ma chambre en criant « Ce soir, on lève », je savais que, pour cette fois du moins, je ne m'ennuierais pas. Et je pensais qu'au milieu des pires situations j'avais trouvé quelque diversion, même si ç'avait été pour bientôt me reprendre. Au collège, l'amitié et ses outrances, aujourd'hui cette camaraderie que je préférais parce qu'elle était sans illusions, ne faisaient pas de phrases, chacun restant enfermé dans son plaisir et dédaignant de le communiquer. La soirée s'achevait avec quelques filles rencontrées par hasard ou, lorsque nous avions assez d'argent, au bordel. Au petit matin, nous rentrions en beuglant des chansons très tristes, des poèmes. Des clochards affairés fouillaient les ordures. Je restais seul, enfin. Tout près de chez moi, un petit square m'abritait, mouillé par la première rosée. J'avais tout mon temps, laissais mon visage à cette fraîcheur.

J'attendais, au fond, une intervention qui m'aurait arraché à mes habitudes et à ma paresse, et il me suffisait presque de la sentir sous-jacente, parallèle à moi, pour ne plus la désirer.

Ma santé s'aggrava. L'asthme qui, depuis quelques années, m'avait laissé en paix, reparut brusquement, et j'en voyais trop les raisons. Et tandis qu'on imaginait que j'étais très fier de mon asthme pour des raisons littéraires (alors qu'on n'imaginait rien du tout), je m'éveillais maintenant vers trois heures, et une nuit traversée d'un bond était devenue un exploit, un rêve ancien, qui, sans doute, n'arriverait plus de longtemps. Déjà, les premiers râles s'étaient organisés et je ne pouvais respirer qu'en soulevant de ma poitrine un poids grinçant qui tendait à m'enfoncer, tandis que, tels ces jouets de caoutchouc, je m'entendais produire des sons aigus et pitoyables : quelque chose de plaintif, d'assoiffé. Il fallait alors allumer la lumière, avaler à la hâte une inopérante pastille, m'adosser à l'oreiller, me réveiller tout à fait afin de subir dans le front une fatigue et une obsession épuisantes. Puis, chaque minute se prévalait sur celle qui l'avait précédée d'une éclaircie de la respiration, d'un gain en profondeur, en ampleur, en apaisement.

En effet, peu à peu et grâce au calmant — ou alors la crise s'effaçait d'elle-même — une libre circulation reprenait, me faisait descendre de cette position haute et oscillante où je me trouvais entre respirer et suffoquer. D'autres fois, la crise durait plus longuement. Il y avait dans les râles une variété profonde. Cela allait du grave à l'aigu, de l'aigre au mélodieux. Pourtant, les sons restaient imprévisibles.

Ensuite, j'essayais de reprendre une respiration complète, hésitant de la pousser jusqu'au bout de peur de m'apercevoir que c'était impossible. Je pensais qu'il faudrait un jour étouffer de la sorte en sachant ou en ignorant que ce serait la dernière fois. Si, pour me donner du repos, je voulais m'arrêter (il m'arrivait d'y être obligé par la fatigue) la reprise était le moment le plus pénible se hâtant de vouloir rattraper un rythme interrompu. Le mieux était encore de respirer par petits coups réguliers et intermittents. Point d'autre moyen, en effet, d'apprivoiser les terribles musiciens. Le calme revenait, enfin. Seuls subsistaient des accords discrets, la respiration se rétablissait dans son cours — comme un fleuve débordé revient à son lit — et il ne restait plus qu'à chercher en soi un sommeil enfui pour une ou deux heures.

Le matin, à sept heures, il fallait se lever, s'habiller, et peut-être le désespoir était-il cette marche exténuante dans la pluie de novembre.

Je dormais l'après-midi, comme mes cours me le permettaient. Mais ces sommeils artificiels (j'aimais ces états intermédiaires et incertains, ces brèves incursions dans un monde fou de malaises) étaient loin d'être réparateurs.

Vers cette époque, et sans doute à cause de l'état de fatigue où je me trouvais, je fus victime de saignements assez violents. Je me rappelle que, la première fois, je voyais couler mon sang sur l'oreiller, sans même avoir la force de tenter le moindre geste. Et je restais interdit devant cette brusque révélation de mon corps — ce corps dont nous faisons habituellement si bon marché — comme si ce simple accès avait comporté pour m'avertir, un témoignage, une accusation surgie du plus profond de moi-même. J'appliquais un mouchoir sur mon nez, puis un autre. Le sang continuait de couler et je sentais le goût fade dans ma gorge, tandis que je regardais en transparence l'étoffe rougie, à la fois effrayé et ravi de posséder une si précieuse couleur. J'étais un peu ennuyé d'être seul, je ne savais ce qu'il fallait faire.

Les après-midi que je pouvais passer dans ma chambre (le jeudi, le samedi, le dimanche), j'allais de mon fauteuil à mon lit, de mon lit à la fenêtre, sans jamais pouvoir me fixer. Il y avait bien la musique. Un concert, un disque, la surprise à la radio d'une symphonie oubliée et sur laquelle, aérienne et connue, j'hésitais à placer un nom, cela, de quelque manière, me tenait lieu de bonheur. Et même aux moments plus calmes de ma vie, lorsque je réentends tel passage de violon (où la mer a sa place, grondante et déferlante avec gravité) qui, en la poussant à l'extrême, épuisait ma douleur jusqu'à me faire monter (comble de ridicule) les larmes aux yeux, je ne peux m'empêcher de retrouver cette extase, ce ravissement (j'écris ces mots, n'en connaissant pas d'autres) qui, mêlés d'angoisse, m'ont tiré un jour de ma médiocrité. Car je n'ai jamais désespéré du monde, mais seulement de me voir si mal arrangé pour lui, assommé de vanités et d'idées toutes faites. Et dans mon désir d'atteindre les choses, de m'accorder enfin — quoique sans reculer vis-à-vis de cette phrase puérile répétée si souvent, les dents serrées : « Ils ne m'auront pas » — dans mon désir de me créer une pensée qui ne dépendrait que du réel, je faisais entrer cette musique qui m'assurait qu'une rigueur joueuse est possible sans trop de mélancolie.

Dans le *Don Juan* de Mozart, le grand récitatif d'Anna (lorsqu'elle vient de reconnaître Don Giovanni et qu'elle confie son aventure à Ottavio), avec ses présages, ses pas donnés dans toutes les directions, ses tâtonnements, sa lutte sourde et angoissée — ce passage résonnait en moi comme un appel. Mais qui donc secourir, me disais-je, que moi-même où je me perds ?

Je savais que notre corps est si décisif dans notre conception du monde, que mon effort (si je décidais d'en accomplir un) devrait porter sur la prévision aussi précise que possible de ses changements.

« Sans doute, me disais-je, la jouissance doit pouvoir s'acquérir comme une science et quelle autre pourrions-nous servir ? Une science exacte, où l'on compose ses goûts, ses sensations, ses variations, ses vices, de manière à la fois si mécanique et si indiscutable qu'elle devienne une habitude. Il doit exister une loi. Je la trouverai. Ce sera ma secrète victoire. Oui, une loi de compensation immédiate et intérieure, faisant sa part à l'illusion elle-même et ne souffrant plus de ses contradictions, une loi où les événements et les rencontres, les hasards et les obligations se trouveront enfin résolus.

« Tout cela, bien entendu, sera trop personnel, trop imperceptible, pour pouvoir être énoncé. Mais l'écriture ne sera là que pour servir ce dessein où j'arriverai peut-être en ménageant quelques effets. Je sens que cela m'est possible. Il faudra commencer là où d'autres se sont arrêtés, profiter (mais est-ce jamais possible ?) de leurs conclusions, se hâter, travailler rigoureusement. »

J'aimerais dire de Paris ce que Chateaubriand disait des yeux de Mirabeau : d'orgueil, de vice et de génie. Mais durant ces divagations que je menais, nuit et jour, dans les quartiers populaires, je dédaignais de m'arrêter aux solutions faciles. « Sur le nombre — pensais-je — il existe bien une femme qui pourrait me faire jouir. » Mais, justement, cela était trop facile. J'aurais eu horreur de choisir. Et sitôt que je commençais de sentir les bienfaits de l'habitude et de la sécurité, je me hâtais d'en finir, avec, même, une sorte de rage. Tout ce qui me rendait à ma solitude, la perte d'une liaison, d'une amitié, était bienvenu. A chaque fois, une exaltation, un air de victoire. Et pourtant, je savais ce qui m'attendait : mais le gaspillage faisait partie de ma méthode. Les individus n'existaient plus pour moi. Je ne les voyais que chargés de certains signes, de certaines fonctions, de paroles. Mais à aucun moment je n'imaginais qu'ils pouvaient être doués d'indépendance. J'aurais dû glisser à qui me côtoyait : « Faites comme si vous étiez perdu pour moi, comme si je ne vous étais rien, comme si je pensais le pire de vous. » Je me souvenais de Concha dont je pouvais écouter sans fin les bavardages. « Mais aujourd'hui tu ne pourrais plus les souffrir. » Il me restait les femmes avec qui la meilleure conduite est de n'en avoir pas du tout, les femmes pour qui il n'est pas bon de se faire une trop haute idée de soi-même : elle en souffrirait. Toujours, je revenais à Concha. Je voulais du moins, en pensant à elle, retrouver la même intensité qu'autrefois. J'épiais ma mémoire : les défaites ni les victoires n'étaient jamais absolues. Et comme un plongeur ramène à l'air libre des objets sans doute différents de ceux qui, sous l'eau, l'avaient séduit, ainsi je m'enfonçais dans ma vie passée, dans ce qui avait été ma profondeur, pour en faire jaillir, à la faveur d'une sensation fugitive, un moment coupant.

La *première fois*, il me semble que cela n'a duré qu'un instant. Mais pour retrouver cette minute, que d'efforts inutiles, jusqu'à ce que, brusque, imprévisible, elle surgisse en moi comme un avertisseur mystérieux.

Je descendais les boulevards. La pluie fondait en lumières sur les silhouettes rapides, les visages mornes, la chaussée et le gravier des trottoirs. Tout ce miroitement s'agitait sous mes yeux dans la grisaille de l'hiver. Soudain, tout se passa comme si j'étais projeté du haut d'un observatoire dans un rire inextinguible dont les cercles s'élargissaient à la foule, aux étalages, aux automobiles qui passaient. Je butais, ravi, sur un obstacle inconnu. Me voici — pensais-je — me voici « moi », chair et esprit, déambulant sans raison, traçant mon chemin de promeneur pareil à ces fantômes qui forcent mon attention. J'avais envie, soudain, de crier et de rire : la farce est terminée. Et rien ne m'aurait moins surpris qu'une immobilisation muette dont je n'imaginais que l'attitude. « Le monde craque », murmurai-je, dans une intense satisfaction que tout se soit passé si vite et sans plus d'efforts de ma part. J'avais dû m'arrêter car je me rappelle plusieurs regards ironiques qui me fixaient sans complaisance. Je repris ma marche.

Rentré chez moi, sur mon lit, je me disais qu'il ne fallait plus souhaiter que le sommeil. Et ainsi, dans cette demi-conscience de la rêverie et de la fatigue, je restais à l'écoute de ma montre contre mon oreille, des mille bruits de l'immeuble comme le ronflement de l'ascenseur, un robinet que l'on ferme, le claquement ou le murmure d'une voix. Je sentais l'odeur humaine des étoffes (comme lorsqu'on respire à travers elles le parfum présent ou absent d'un corps — ainsi avais-je fait — que cela me semblait lointain — avec

Concha), je savais que le monde se disposait autour de moi comme une gigantesque entreprise de fatigue à laquelle, rien, jamais, ne saurait m'enlever. Mais parfois, si la lumière rentrait dans ma chambre par l'interstice des volets, je m'imaginais dans un village, content du bruit que faisait autour de moi la complicité de ses habitants, village que, pour plus de plaisir, j'imaginais au bord de mer, écrasé de soleil. Ma chambre, elle-même devenue l'objet de ma rêverie, me semblait donner directement sur une petite rue odorante et fraîche. Allongé, j'attendais seulement la fin du jour. Cette volonté de me placer dans un lieu imaginaire — chaque fois différent pour en ménager l'intensité — ; cette faculté, surtout, de rentrer très vite dans un état de paralysie, d'hébétude, ou d'extase où, mon corps étant figé, il semble que ce soit une qualité inconnue qui aille se perdre et se jouer dans un espace creux, non seulement me sauvaient de ma tristesse mais provoquaient en moi mille plaisirs.

Cependant, ces moments rares et rapides n'empêchaient pas les autres, pleins d'une obsession maladive. Je n'imaginais pas d'autre recours que de chercher fiévreusement le sommeil. Alors, je fermais les yeux, laissais place à ce murmure mental, qui n'est plus qu'un champ de bataille où mille phrases inachevées s'affrontent sans se détruire.

Un jour que je m'étais endormi, je ne m'éveillai, assez reposé, qu'au crépuscule. La lumière avait disparu. Le paysage s'étendait au fond d'une perspective fuyante bordée de « nuages d'encre ». Mais ce qui était remarquable, c'était, comme jeté, un bleu d'une douceur ancienne...

A peine débarrassé par le sommeil de ma lourdeur, la joie me montait aux yeux, cernait mes paupières, les gonflait de l'intérieur, tandis qu'un mouvement brumeux s'organisait dans ma poitrine avec, peu à peu — oui, c'est cela — toute la tension d'une incertitude enchantée... Combien de fois n'avais-je pas ressenti cette émotion incompréhensible, dans l'obscurité. Souvent, lorsque cela s'était produit, j'étais assis devant ma fenêtre dans un fauteuil qui restera associé dans ma mémoire à ce prodigieux voyage que j'accomplissais loin de lui. Il était recouvert de velours vert, pas très confortable, avec — comment dire ? — un air étonné. Mais il m'accompagnait, qui sait, il intercédait peut-être.

Il faudrait user de soi comme d'un instrument, me disais-je, savoir *se jouer*. Le grand rouage des nuages sur le ciel, j'entrais dans ses mouvements les plus intimes, je faisais partie de ses mauves, de ses roses frangés d'or au point que je me précipitais parfois à la fenêtre pour jouir de cet accord. Sans rire, il y avait de quoi pleurer. J'étais porté, baigné, diffusé par le ciel. Il me touchait au plus haut point, dans le moindre éclatement, dans la plus petite tentative de soleil. Quelles pénétrations ne me permettais-je pas (avec cette même sensation que j'avais eue parfois, immobile, d'entrer dans certains paysages, de me promener, sans les voir, dans leurs recoins les plus obscurs). J'avais remarqué, autour de ces moments si exceptionnels, certaines constantes extérieures — qu'il serait assez vain d'invoquer — mais que raisonnablement on peut tenir pour nécessaires. Par exemple, des bruits lointains, familiers, continus, ou, mieux encore, d'appel. Un aspect d'abandon, de laisser-aller. Mais pourquoi étais-je si implacablement *saisi* ?

C'était donc maintenant, dans ma chambre, que l'infini me semblait saisissable à son tour, encouragé à naître. Et cette communion fiévreuse était comme on se largue et dérive, insensiblement. « Ainsi — me disais-je — c'est à un des moments les plus désolés de ma vie, que j'aurai trouvé le hasard et la force d'exprimer, mais non : de capter ou d'entrevoir ce fameux point de l'attention où tout est décidément interchangeable. » La pensée défilait devant moi ; ma propre personne et « moi » capable non seulement de voir tout cela dans une sorte de lumineuse absence, mais de le soupeser, de le juger, d'en rire... Et, dans ce détachement passionné, l'absurdité, enfin, devenait merveilleux : une réalité merveilleusement absurde.

Tous ces moments de surprise, de connivence avec le dehors, tous ces moments comblés qui, dans ma mathématique privée, éclairaient si hâtivement ma vie, je savais que peut-être, un jour, je pourrais m'en faire une conscience nette. Et je sentais aussi que je ne pourrais jamais les épuiser, les sauver d'eux-mêmes et, pour cela, je les aimais mieux comme une défaite presque volontaire. Ces moments n'auraient su être utilisables. De toute manière, à l'époque dont je parle, j'étais trop occupé de ma solitude pour leur accorder grande attention. Ma vie se passait à tenter, sans y parvenir, de prendre contact avec des femmes dont, sans doute, m'éloignait le désir même que j'avais d'elles et, qu'en le devinant, elles devaient trouver insupportable. J'aurais été incapable, d'ailleurs, de m'expliquer. C'est pourquoi, si je pressentais qu'il y avait dans mes sensations quelque vérité à trouver, mon premier mouvement était de répondre : « Sans doute, mais j'ai plus besoin d'un corps que d'une vérité. » Or, évidemment, il suffit de chercher une femme pour ne pas y réussir. Je tournais en rond, je n'arrivais à rien, je déplaisais à tout le monde. Je me rappelle cependant un moment extraordinaire qui illustra bien cet attachement que j'avais pour ma solitude, lorsqu'elle s'amusait à faire miroiter un pays où je n'arriverais jamais, visions après lesquelles je retombais dans l'ombre — et aussi le désir, simulé, que ces moments soient plus importants que ma recherche — d'une femme, d'un piège ou d'une raison.

Je passais donc, en autobus, sur le pont de la Concorde, les yeux fixés sur un banc de nuages rouges qui striaient le ciel (très curieusement, l'autre côté du pont se trouvait absolument embrumé). Or, à cet instant précis où j'entrais dans le paysage, je me sentis bondir de mon siège, me précipiter au plus vaste, posséder cette fois-ci la ville. Je voyais son histoire, ses anciens habitants, ses monuments mêmes, comme une armée qui aurait marché vers moi, et me permettait, au creux de son chant, d'accéder enfin à cette joie souveraine. J'étais imprenable, inaccessible, il ne pouvait rien survenir d'imprévisible. Cet état dura bien trente secondes, après lequel je restai dans une euphorie de bon augure. Je mis un très grand sérieux à ce phénomène — et en même temps, je savais trop bien pourquoi me revenait cette phrase d'Henri Brulard : « Le grand seul remplit l'âme et non pas les femmes quelles qu'elles soient. »

Seul, malade, et décourageant de moi comme j'avais le secret — et le talent — de le faire, je trouvais enfin l'extrême, vers où je tendais aveuglément. Cet extrême : la perte de tout projet, sa dénégation sans appel, en même temps qu'une contemplation frileuse. Alors, je retrouvais cette présence en moi, que ni les agitations, ni les trahisons, ni les conquêtes imaginaires n'avaient pu éloigner ; cette présence, cet « invariant » qui compose, juge, soupèse, décide et nie. Je touchais enfin l'extase, la certitude du vide absolu. Et j'éprouvais que la vie était ce merveilleux suspens dont je ne savais et ne saurais jamais rien dire, auquel cependant je m'abandonnais sans recours, comme si j'allais à ma perte dans quelque puéril et provisoire enthousiasme. « Cet instant de conscience — me disais-je — qu'il faudra détruire sous peine de vertige, ce phénomène aigu d'interrogation, je sais bien qu'ils sont sans lendemain. En eux, à partir d'eux, tout peut être considéré comme résolu. Il faut donc que je pose ma résolution intime comme préparation au néant, que je tâtonne vers ces limites obscures, que je me dissolve dans cet effort. »

J'étais abandonné, mais toutes les possibilités ajournées par le monde et la société, se réveillaient, s'orchestraient, à la lettre : se mettaient à courir en moi. L'important n'est pas tellement de « penser », que de se regarder avoir soif.

Je commençais aussi d'entrevoir qu'il me fallait rechercher tout ce qui me mettait dans un état de stupeur rieuse, telle que la distance entre moi et l'objet qui me provoquait soit la plus grande possible quoique tout entière occupée... Car il me semblait que j'étais plus sensible aux choses, aux climats, aux personnes, par l'étonnement où j'étais, plus que jamais, vis-à-vis d'eux. Etait pour moi sensation absolue toute celle qui en moi ouvrait ses ailes — mais sans me surprendre trop ; c'est-à-dire assez forte pour me faire tomber, mais assez distante pour que je puisse jouir de ma chute. La stupeur s'appliquait alors aux événements les plus banals : dans la rue un balayeur et son balai dansaient en tourbillonnant, une jeune fille marchait mécaniquement, etc...

En fait, je ne pouvais plus savoir si c'était vraiment l'extase qui provoquait mon désir d'épanchement ou si c'était le désir de l'avoir connue qui m'entraînait pour m'y faire croire, à la mimer. Car j'avais de plus en plus des désirs d'extase.

Cette vie particulière, cette vie elle-même, je voulais malgré tout lui donner un rythme, une cadence — comment dire ? — une raison (mathématique), même si j'étais, de temps en temps, sur le point de tout abandonner. (En général, le matin, en me levant, c'est là que m'attendait l'absurde comme si le sommeil avait dissipé les fausses sécurités et que le regard le plus neuf devait être aussi, absolument, le plus désespéré.) J'existais ainsi dans un petit cercle assez murmurant dont je voyais bien toute l'histoire. Cercle qui s'élargissait, se contractait ou se troublait suivant que je tombais dans ce lac. Nulle barque : la traversée n'intéressait personne. Il m'aurait fallu rencontrer, par hasard, une exigence. Mais je ne savais pas encore que si l'on ne trouve nulle part des caractères, sans doute on peut aimer ceux qui ont assez de légèreté pour se le faire pardonner.

Le temps changea, se fit plus clair. L'agitation où m'avait jeté l'hiver avait fait place — une des causes en était l'état de ma santé — à une sorte de torpeur. Mais ce pays où j'étais parvenu, où rien ne me parlait, où le moindre contact me demeurait interdit, où tout se passait dans l'intimité d'une fenêtre ouverte, du moins voulais-je en rechercher la clé.

Heureux ou malheureux, plein de désir ou de désespoir, je ne pouvais que tourner en rond comme pour étendre mon état de siège et de retraite, concentré par ce qui aurait dû me faire éclater de joie ou de douleur. Je frôlais, je tâtonnais, je repoussais ces parois de ma sensation, je les assurais de moi-même. Et, contre toute évidence, je m'obstinais à croire que nous méritons obscurément nos chances, que le réel se laisse, à la longue, prendre à nos invocations, que rien, en définitive, n'est jamais perdu dans le désir.

Je commençais d'écrire. Je n'avais que vingt ans, je savais que ce que j'allais écrire serait d'abord mauvais, et qu'il le fallait sans doute si je voulais atteindre un jour la perfection de mon provisoire enthousiasme. Mais je faisais du mot à mot au sens où l'on dit : lutter corps à corps. Je connus ce découragement, ce doute (quand ce n'est pas ce dégoût). D'une journée, je ne vivais que quelques minutes favorables, le reste étant dépensé à les provoquer. Enfin, toute l'énergie, toute l'inquiétude dont j'étais capable, je savais que j'allais l'user à cette épuisante question : tant d'obscurité vaut-elle une si intermittente lumière, mais inappréciable ?

Ce serait une relation de bataille que mon livre, de lutte et de travail avec soi-même, pour aboutir enfin à cette qualité qui m'était si refusée : la simplicité. Et quand un livre se développe, parallèle à votre vie, l'influençant ou se laissant gonfler par elle, quand, par cette oscillation, on ne peut tomber ni dans le réel, ni dans l'imaginaire, n'est-ce pas cela la liberté ? Il y a place, enfin, pour ouvrir les yeux.

Cependant, les jours, je voulais les sentir passer. Et, tout se présentait pour moi, comme si, à force de courage, je devais me frayer un passage à travers ce que j'aimais le mieux, persuadé que cet effort n'avait en lui-même aucune importance — ce qui lui donnerait peut-être sa merveilleuse fragilité, son caractère lumineux, désinvolte. Que je réussisse ou non (tout n'était peut-être pas à gagner, mais assurément, tout était à perdre), je savais que cette recherche seule suffirait à gagner du temps.

« A quoi bon, me disais-je, m'embarrasser

d'écrire ? Peut-on même écrire avec, toutes les trois lignes, la sensation de « l'à quoi bon » ? Le plaisir me réclame par tous les signes de ce paysage éclairé comme si ce devait être la dernière fois.» Mais *justement* il me fallait *doubler* ce plaisir, lui donner son envers de langage. J'écrirais au début assez sèchement. Tout au plus, quand je me trouverais dans des dispositions voisines du sacré, pourrais-je m'accorder une musique où rentrerait comme la défaillance du monde.

Plus rien ne m'importait désormais qu'une rigueur, une discipline, une immobilité décisives où — si j'usais d'assez de talent — pourrait apparaître quelque *solution*... Celle-ci, servirait enfin à nombre de réactions qui, sans elle — de même que si l'on n'étendait pas un acide dangereux — seraient impossibles.

Ainsi, cette sécurité dont je ne parvenais pas à me passer et que je voulais reconstruire — me poussait à des exercices précis, à des réflexions qui réclamaient un but, une progression. C'est pourquoi je ne m'occuperais que de moi, c'est pourquoi tout ce qui se passait pour problèmes importants ne saurait me retenir. La seule voie qui m'était réservée était de ne pas souffrir, de me retrancher. Telle était mon instinctive (donc irrépressible) croyance.

Serait ennemi tout ce qui tendrait à m'en éloigner. Le reste (conduite, opinion, sympathies) pourrait être laissé au hasard. Ce n'était pas fantaisie si, au lendemain de toute activité (hormis celles qui, comme l'amour, l'écriture, la musique ou la contemplation me rendaient à mon espace, à mon présent obscur), je m'étais relevé comme d'une maladie. Ne plus attacher aucune importance à ma vie, c'est là que je voulais parvenir, à l'extrême de cette sensation parfois si troublante : être remplaçable, infiniment... Oui, il me faudrait passer bien du temps à disparaître. Et, sans doute, il y avait une sorte d'ironie, dès le début de ma vie, à m'occuper de ma mort. Pourtant, je n'avais jamais cessé, je ne cesserais jamais d'y penser : elle était ce départ où il faut absolument parvenir sans bagages, une ratification, un accord. J'acceptais de mourir s'il me fallait avoir vécu en attente de cette mort. Et tout se trouvait dévalorisé qui ne correspondait pas à mon plaisir. (L'écriture, elle-même, vienne le jour où je pourrais la décider superflue.) Raisonnement simple, comme tout ce qui touche à l'important. Peut-être était-il ridicule de me poser déjà toutes ces entraves. Mais il y avait urgence, je le sentais trop bien. C'est à notre corps que nous demandons plus volontiers le secret de notre vie, à ce qu'il a retenu des moments où il l'a comprise, et c'est pourquoi notre effort est un perpétuel échec. Passées, nos sensations ne nous sont plus d'aucun secours, non plus qu'une intelligence dont tout nous entraîne à douter. Nous sommes seuls, alors, avec une erreur qui n'en fut peut-être pas une, sans savoir, à une heure décisive comme celle de la mort, si nous avons vécu justement. La souffrance, l'angoisse de la mort doivent venir de ce que nous y arrivons comme à un événement parmi d'autres, moi particulier et soumis au lieu du moi universel et total que, sans voix, nous appelons. Voilà ce que j'aurais à surmonter si je voulais gagner une mort comme cette joie que je vivais.

Enfin, cette imagination que j'avais dépensée au-devant de moi-même (soit pour inventer un état de pure jouissance, soit, au contraire, pour me peindre d'avance les moments de mon agonie) pourquoi ne servirait-elle pas à ma discipline ? Et j'avais le désir de m'enfermer, de composer un livre clair et dense dont le rythme pourrait, en revanche de ma personne, atteindre par-delà ma retraite ceux de ma sorte que je n'avais eu ni le temps, ni la force de rechercher.

Un matin, je sortis plus tôt que de coutume, et la douceur de l'air m'étonna, me pénétra de toutes parts, me laissa immobile sur le trottoir avec, dans la poitrine, une curieuse douleur. Concha, par mégarde, était entrée en moi, cherchait à se faire une place dans mon attente. Or, ce même jour, ouvrant pour le relire *Le temps perdu* (auquel m'unissaient tant de liens que je ne pouvais plus reconnaître), je tombai sur cette phrase que, pour son importance tactique, autant que pour l'émotion qu'elle me donna alors, je recopie ici :

Et c'est en somme une façon comme une autre de résoudre le problème de l'existence qu'approcher suffisamment les choses et les personnes qui nous ont paru de loin belles et mystérieuses, pour nous rendre compte qu'elles sont sans mystère et sans beauté, c'est une des hygiènes entre lesquelles on peut opter, une hygiène qui n'est peut-être pas très recommandable, mais elle nous donne un certain calme pour passer la vie et aussi — comme elle permet de ne rien regretter, en nous persuadant que nous avons atteint le meilleur et que le meilleur n'était pas grand-chose — pour nous résigner à la mort.

Mais, me disais-je, il y a toujours un *autre* meilleur. Et pourtant, j'aimais cette pensée qui faisait sa part à la déception. Décevoir : telle avait longtemps été ma devise. Mais il s'agissait, cette déception, de me l'appliquer à moi-même et, pour détruire le malheur, de m'attaquer à ses images. Or que représentait pour moi le meilleur, sinon, brève, indistincte et douloureuse, la mémoire de Concha ?

Et puisque je m'étais trompé, puisque ce que j'avais pris pour une libération n'avait réussi en m'abandonnant à mes désirs qu'à m'en faire éprouver le néant, à m'emprisonner dans l'obsession, c'était entendu, avant de me mettre à ce travail, dont je n'avais que le modèle, je ferais demi-tour, je renouerais des liens, j'écrirais des lettres, je tâterais de la société, je jouerais le jeu. Finis les dédains, les disparitions un peu lâches. Avant de me retirer tout à fait, il me fallait tenter cette expérience, brûler ce dernier vaisseau. D'ailleurs, j'étais vaincu, puisque je n'étais pas heureux. J'appellerais Concha dont l'éloignement avait pu, ridiculement, sembler préférable à ma raison. Mais que faisait-elle, où était-elle ? Sûrement, elle était perdue pour toujours, elle ne répondrait pas. J'aime ces lettres qui sont des bouteilles à la mer.

III

NOTRE vie, on dirait que par une sorte de compensation ou d'harmonie dont on arrive, à force de patience, à prévoir les effets, elle ne se relâche, elle ne piétine durant des mois, que pour mieux nous entraîner ensuite. De quel prix n'avons-nous payé certaines minutes d'équilibre et de clarté. Mais, après tout, rien n'est assez cher pour les obtenir.

J'avais écrit à Concha, quelques jours avant de partir en vacances. Quel incident — dont je me plaignis — me fit revenir plus tôt ? Je me rappelle seulement cet interminable voyage dont je connaissais chaque moment, ce train, ces paysages, et, planant sur eux, la pensée d'un printemps à Paris, sans amis (mais cela importait peu), sans femme (mais en avoir demandait bien des grimaces), sans goût pour les sorties, les boissons, les promenades, les gens. Et toujours ces mêmes plaines où, seules, des inondations venaient mettre en hiver quelque gaieté. Je songeais assez amèrement qu'il allait falloir consacrer à mes examens une semaine d'insomnies. Encore heureux si ma santé ne s'aggravait pas.

Pour comble de disgrâce, une jeune fille qui croyait à la poésie des rencontres dans le train, se crut obligée de m'adresser la parole. C'était une artiste : je fus accablé. Puis il y eut Paris, dans un soir d'avril, Paris plein de parfums et de femmes claires, Paris dont le printemps s'était emparé par surprise, Montparnasse bondé de touristes et, aperçue dès la porte, posée sur le petit plateau en cuivre, portée en courant jusqu'à ma chambre et décachetée à plat ventre sur mon lit : la lettre de Concha. Et ce n'était pas le grotesque visage du Généralissime Franco qui lui servait de timbre, mais la soi-disant innocente République française.

« Tiens, oui, elle était heureuse et surprise d'avoir de mes nouvelles. Ma lettre était allée se perdre quelque temps à Séville où elle-même avait passé l'hiver. Elle était à Paris, disposant d'une petite chambre assez confortable. Beaucoup d'amis espagnols. Paris l'enchantait et elle se demandait s'il était bien opportun de nous revoir. Mais enfin, elle me donnait son adresse, c'était à moi de décider. »

La fin restait énigmatique : « *Sin mâs, reciba lo que màs gustes de esta. Tu amiga. Concha.* » Je compris qu'il me fallait prendre de cette lettre ce qui me plairait davantage.

Mais quoi, nous avions fait l'un vis-à-vis de l'autre assez de déclarations de désinvolture et d'impertinence.

Ainsi, cette rencontre que j'avais tant espérée, il avait suffi d'une lettre, du geste le plus simple pour me l'assurer. Et Concha m'écrivait sur le ton de la conversation. « C'est bien d'elle », me dis-je, avec ce sourire qu'on décerne aux très vieux amis pour montrer qu'on a pris sur leur caractère une assurance infaillible de continuité.

Autrefois, par simple élégance envers moi-même, je me serais demandé si cette satisfaction arrivait bien à temps, si j'en avais vraiment envie. J'aurais même poussé la grandeur jusqu'à esquisser une moue d'indifférence quand tout se serait précipité en moi vers cet instant. Mais j'avais appris à me méfier de ces subtilités. Tous comptes faits, mes malaises m'ont plus appris que mes raisonnements. Je sautai dans un taxi. Il n'arriverait jamais, le chauffeur allait avoir une attaque. Bonheur de ces moments si rares où la folie devient possible. J'étais dans un tel état d'énervement que je dus, avant de sonner, rester immobile, respirant à peine.

Or j'avais tout prévu, excepté qu'elle m'ouvrirait la porte. Je sonnai. C'était elle. Deux heures après, elle se plaignait encore de la peur que je lui avais faite. Pour moi, dans ce moment à vrai dire incomparable où, dans l'entrebâillement de la porte vernie, je la vis apparaître, indifférente d'abord, puis changeant tout à coup de visage, je faillis ne pas la reconnaître. Elle était en rose et je ne l'avais connue, je ne me souvenais d'elle qu'habillée de bleu. Son teint me parut avoir gagné en couleurs, ses cheveux en noirceur, ses yeux en profondeur, sa personne en mystère et moi en naïveté. Je n'ai pas souvenir de ce que nous dîmes. Nous restions face à face sur le palier, ne trouvant ni l'un ni l'autre à sourire, à nous dire bonjour, dépouillés de tout faux naturel. C'était elle et ce n'était pas elle, puisqu'il me fallait, pour en être sûr, non seulement franchir cette barrière qui sépare deux corps, mais encore mon désir, mon oubli, mon anxiété d'elle depuis si longtemps et toutes les erreurs dont j'avais tenté de la couvrir pour idéalement la rejoindre. Elle me dit de descendre et je l'attendis en bas, dans un jardin où elle me rejoignit bientôt. On n'a rien à dire lorsqu'on a trop à dire. Nous restions là à balbutier, elle avec un sourire un peu douloureux et son geste ancien de passer sa main sur son visage, soigneusement, comme pour en chasser un insecte invisible. Nerveux, nous froissions des feuilles et le front de Concha s'en trouva verdi. Je l'embrassais. Il se mit à pleuvoir. Je marchais à ses côtés, je me souviens de cette pluie et du vent qui donnait à nos visages une même fraîcheur. J'étais débarrassé de m'émouvoir, joyeusement inerte.

Et Concha me semblait plus sensible qu'autrefois, comme si notre aventure avait pris des dimensions nouvelles. Dans le taxi, elle me prit la main, geste d'amitié que jamais sans doute elle n'aurait fait autrefois. Il est vrai que, moi du moins, nous étions devenus de « grandes personnes », que nous allions être des « amants », qui sait, tomber dans la vulgarité d'une liaison comme une autre. Et pourtant, une femme dont on est sûr enfin qu'elle ne vous supporte pas, une femme qui vous aime, je veux dire : qui aime à vous embrasser, avec laquelle on va tenter de retrouver cette vérité ancienne...

Nous fûmes dans un cabaret espagnol. Le guitariste était placé sur une sorte d'estrade, et, à ses côtés, le chanteur. Sur la piste, deux danseuses, costumées à l'andalouse, traçaient, telles deux planètes, leurs révolutions compliquées, étincelantes. L'une était de pur type castillan. Mais l'autre, quoique catalane (comme nous l'apprîmes plus tard), avait cette grâce gitane qui se trouve dans la frénésie et ne supporte pas le repos. C'était Dolorès. Tout de suite, Concha ne la quitta pas des yeux. Et l'autre, une brune à l'air impérieux, dont les yeux clignaient sans cesse, Dolorès, dans sa robe verte à volants, ne dansa plus que pour nous. Dans le *zapateado,* elle donnait toute sa mesure, attaquant avec brusquerie et maîtrise, forçant le rythme avec désespoir. « Voir cela et le voir à Paris ! » glissai-je à Concha pour piquer un peu son amour-propre. Elle me sourit du bout des lèvres, sans détourner la tête. « Je ne l'ai pas vue depuis deux ans, je suis avec elle depuis dix minutes, me dis-je, et elle m'a déjà oublié... »

Je la regardais regarder, et c'était comme si je l'avais enfin surprise dans son désir, à éprouver de l'étonnement et de l'admiration. Dolorès se mit à chanter (sa bouche s'ouvrait alors à demi, comme pour un baiser). Voix rauque, imparfaite, contractée ; voix mal posée entre l'aigreur et la tendresse, morte — eût-on dit —, si cela pouvait signifier qu'elle était *habitée* ; « voix à faire rougir nos demoiselles » (murmura Concha). Et ce que cette voix proclamait, c'était qu'il n'y a de vérité que dans la difficulté d'expression, qu'il faut d'abord trébucher, peser ses mots, les choisir difficilement (ils ont tant d'attaches), ne pas se complaire en eux, mais les accepter au contraire avec toutes leurs possibilités et leurs faiblesses (à la recherche de cet état si rare de crispation et de maîtrise), qu'il faut être pauvre et avec passion, même si le langage n'est pas tout et que, chargé de tant de signes, si l'on se permet de l'employer, c'est presque en désespoir de cause.

Las flores no valen nada
Los que valen son
Tus brazos
Cuando de noche me abrazan

Et ce couplet était pour moi toute la souffrance et tout le repos d'une conviction. Et je voyais Concha dans la prononciation de cet *Olé* qu'il fallait bien du talent pour lui arracher, car elle était du Nord, donc naturellement peu expansive. Heureuse, probablement sans moi (*¡ Eso es ! ¡ Vayà guapa !*) mais qu'importait puisque je la voyais, que j'étais sûr de la voir naturelle et qu'elle me montrait un peu de cette vérité d'un visage ravi.

Le chant fini, Dolorès vint s'asseoir à notre table. Mais, obligés de nous parler, nous ne sûmes trop quoi nous dire. La fille avait un rire, une beauté un peu vulgaires, et, de toute manière, n'avait d'yeux que pour Concha. Je sortis un peu avant pour qu'elles puissent, sans être gênées, se fixer un rendez-vous. Plusieurs jours après — en faisant l'amour — et comme nous mimions en riant les saccades de la danse, Concha, voyant que j'avais compris, me murmura, en riant : *¡ Olé, Dolorès !* C'était un compliment et je le pris pour tel. Mais, ce même soir, elle ne m'invita pas chez elle. Je n'insistai pas, et attendis le lendemain après-midi.

Si, après le premier soir, j'avais voulu exprimer ce que je ressentais, sans doute aurais-je dit seulement : « Je suis le plus heureux des hommes », expression qui n'aurait rien contenu de mon bonheur. De fait, j'aurais voulu retrouver, lier tous ces moments où j'avais pensé à elle, désespéré de la revoir, comme cet après-midi au bord de l'eau, comme cette matinée sous les arbres déjà dépouillés d'une campagne et, surtout, toutes ces minutes inconscientes et oubliées où, lumineuse, elle avait traversé ma mémoire (et pas seulement ma mémoire mais, comme un chaud et froid, mes bras, ma poitrine, mon ventre, mon sexe et jusqu'à mes lèvres).

Sans doute, Concha m'avait ce qu'on appelle « trompé ». Elle s'était donnée indifféremment à qui en avait manifesté le désir. Mais ayant du goût pour les femmes, aux hommes, elle n'avait fait que céder, tandis qu'avec ses maîtresses elle aimait à se divertir (rien, dans son caractère, de l'hystérie ou de l'obsession du vice). Elle promenait ainsi dans la vie une disponibilité et une distance également absolues. Oui, d'une certaine manière, elle était la solitude, cette transition entre deux mondes incommunicables.

De mis soledades vengo
A mis soledades voy
Y para vivir con migo
Me bastan mis pensamientos

De mes solitudes je viens, à mes solitudes je vais... Que ces vers lui *collaient* bien. C'était son visage qui, pour moi, passait dans ces quatre vers, enveloppé d'un mouvement imperceptible.

Bien entendu, j'avais souffert d'une de ses aventures, apprise après son départ. Un homme assez âgé — de qui elle s'était moquée avec Béatrice. J'avais souffert, certes, mais non de jalousie. Car je n'en voulais à personne. J'ai toujours été fataliste, avec ce côté « maintenant ou jamais » et « c'est comme cela, on n'y peut rien » que Concha avait encore développé en moi. Ma souffrance ne pouvait donc venir que de l'inévitable, de la sensation si aiguë de n'avoir aucun recours contre lui. Il y avait bien eu la désagréable imagination d'un visage ridé, traînant une courte moustache sur le visage si fin, si inaccessible de Concha. Sûrement, il y en avait eu d'autres, plus jeunes. Mais n'était-ce pas aussi ma faute, puisque je l'avais si mal aimée. En littérature, tout finit lorsque les amants se réfugiant dans l'obscurité, le héros, quand ce n'est pas le narrateur, a tous les dons du faiseur d'amour. J'admirais cette infaillibilité, car, étant trop jeune encore pour saisir les finesses d'un être aussi rompu au plaisir que l'était Concha, il n'était pas rare qu'elle reste ou me paraisse insatisfaite (et son visage, alors, était assez abîmé). Béatrice, qui m'avait raconté l'aventure de Concha et de son vieil amant, avait insisté sur sa bouffonnerie. L'homme faisant tomber ses lunettes, ne pouvant arriver, à cause de son énorme ventre, à posséder Concha. Tout cela était dégoûtant ou comique. Mais il ne faut pas oublier que certaines femmes ne font l'amour que pour humilier leur partenaire — quand ce n'est pas pour s'en débarrasser. Je me rassurais de cette pensée, lorsque Béatrice avait ajouté, parlant du barbon : « Il paraît qu'à l'usage, il connaissait des trucs formidables. » Le véritable mystère n'est pas où l'on croit : il est dans les corps. Qu'avait pu ressentir Concha que je n'avais su ou pu lui donner ? Que ressentait-elle avec ses amies ? Ces domaines où nous n'entrerons jamais, et autour desquels nous rôdons, nous dressons nos pièges... Ces problèmes qui changent avec chaque sensibilité, de manière que, jamais, nous ne pouvons user des mêmes formules... Et, en conséquence, obscurité en nous-mêmes. Car se connaître ce l'est toujours à travers un système où nous nous opposons, où nous vérifions hâtivement nos hypothèses.

Evidemment, les plaisirs de Concha et de ses amies avaient, en comparaison, une grâce et surtout, pour moi, quelque chose d'inimaginable que je préférais. Et je me plaisais à croire que Concha avait souci avec moi, d'autre chose que l'amour (même si elle avait toujours préféré ne pas me voir que — à cause d'un empêchement — ne pas faire l'amour avec moi). « Mais il est vrai — me disais-je — que, partout, elle s'ennuie et ne s'ennuie pas. C'est une sorte d'état second où, sans bruit, elle se promène. Elle hiverne, voilà le mot. A quoi bon chercher plus loin ? »

« Un mois de satisfaction t'en apprendra plus que deux ans d'interrogations... » C'est

Concha qui me répond, ironique, quand je lui laisse deviner combien je l'ai désirée. Et comme, stupide, je risque un soupir sur « la vie », voici un des proverbes (un de ces *refranes*) dont elle s'accompagne toujours : *La vida es un tango y el que no lo baïla es un tonto.* Bien sûr, il faut danser, mais le temps... Elle garde son air amusé pour imaginer notre séparation. Rien à faire. Parfois, je la guette de profil. Bientôt l'œil observé s'éclaire sous la paupière mal jointe, s'entoure de rides, de secrets, sa tête pivote, et un sourire éclate sans bruit sur sa figure. Et quand je me penche sur elle, qu'elle tire avec application la langue ou qu'elle se dévoile tout à coup d'un brusque mouvement de gaieté qui, peu à peu, était monté jusqu'à son visage, je songe que, quoiqu'il nous en coûte, nous ne remercierons jamais assez qui nous a épargné les grimaces du sentiment. Que Concha est belle, avec toujours cette mince indifférence comme concentrée au bord des paupières, dans la chute du cou. Son visage fruité, enfoui dans les coussins à fleurs, je m'approche d'elle, j'écoute, je respire son haleine pour tâcher de surprendre à sa source le principe de son enchantement.

Ce que je retrouvais enfin, c'était cette complicité de deux corps habitués l'un à l'autre, c'était la chaleur de Concha, cette halte sur son visage, son souffle contre mon oreille, le coin de sa bouche un peu creusé et, par moments, ces brusques montées de reconnaissance, pour elle qui, toujours, m'avait donné du plaisir. Et c'était le corps de Concha, notre ancienne façon de nous rapprocher l'un de l'autre, l'emmêlement de nos jambes, son odeur (fraîche à la nuque, acide des tempes, chaude de la bouche), ses cheveux longs qui, toujours, se trouvaient pris sous un bras, une épaule, et, désordonnés, passaient entre nos deux visages comme un dernier refus (il fallait les écarter de la main pour saisir sa bouche) ; et, surtout, son indulgence d'autrefois. J'avais l'impression de revivre la même aventure mais, cette fois-ci, en vainqueur, en corrigeant mes maladresses. Et l'entendre chuchoter : « *¡ Ay, que bueno !* » ou « *¡ Te voy a dejar sin labios, vas a ver tu !* » m'emplissait d'une telle vanité que, tout seul, je riais de moi-même. Mais ainsi, du moins, faisais-je une cure de mémoire, je changeais enfin d'images (en superposant les nouvelles aux anciennes qui avaient trop tremblé). Concha n'avait pas bougé, c'était là mon unique chance ; elle immobilisait le temps. Et je comprenais mieux, maintenant, pourquoi elle avait suscité tant d'attachements passionnés. Car elle avait été pour chacun de ceux qui l'avaient connue — et combien pour moi — une sorte de repère infaillible, où je retrouvais ce qu'il y avait eu de meilleur dans mon premier amour, guidé par ce que j'avais appris du regret conscient ou inconscient de cet amour. Et de cette brusque confrontation entre ces deux personnages qui chacun avaient été moi, naissait un personnage nouveau, plein d'une grande résolution.

Ce jour-là, qui était le deuxième de notre rencontre, nous restâmes longuement à parler tandis que, peu à peu, la nuit s'épaississait au-dehors. Dans le cadre de la fenêtre apparut bientôt, tel un tableau dérisoire, l'Arc de Triomphe illuminé.

« Tout à fait au début, me dit Concha, ce fil de coton que j'avais dans les cheveux et que tu venais m'enlever avec précautions, eh bien ! chaque fois que je cousais j'en arrangeais un, exprès, pour te voir faire. C'était trop amusant. »

Je m'apercevais, sans trop d'étonnement, qu'elle avait une autre mémoire que la mienne (étant même restée sensible à des attentions oubliées). Un jour, j'avais jeté par la fenêtre un bouquet d'œillets artificiels. Un autre, j'avais tenté de pénétrer de force dans son cabinet de toilette, nous avions mimé une scène de viol et l'excitation du jeu était si grande que j'avais, avant de la prendre, joui seul.

« Total, conclut brusquement Concha, comme nous ne sommes pas l'un pour l'autre... »

Je ne répondis pas. Son visage à côté du mien resta immobile. D'un commun accord, nous changeâmes de conversation.

Puis, ce furent des promenades interminables. Concha n'avait envie de rien, ne goûtait que cette marche heureuse et machinale, et si je voulais m'arrêter dans un café elle n'y consentait qu'à contrecœur. Le faisait-elle exprès pour conserver à nos rapports leur caractère en marge ? Elle était assez intelligente pour cela. Quand nous sortions, elle faisait son chignon qui, malgré le peigne en losange et l'aiguille effilée, se désagrégeait trop vite. Alors elle me regardait avec l'air de dire : « Comme tu me souhaites, je ne peux rester longtemps. » Oui, elle était intelligente. Et quand je l'emmenais de préférence dans ces quartiers où j'avais été si morne, si acharné, je me disais : « Rappelle-toi bien le nom de cette rue, afin de pouvoir y repasser plus tard quand tu l'auras perdue, elle qui, si provisoirement peut-être, est encore à côté de toi. » Le lendemain, j'essayais ma mémoire, mais, sur ce nom, elle restait muette et c'était comme si je l'avais perdue à nouveau pour toujours.

Convaincus qu'il n'y a que lui, tout est nul lorsque nous sommes fatigués du plaisir. Alors, à ces moments de fatigue et d'ennui, je m'interrogeais s'il était bien à propos de m'attacher encore, de restreindre cette indépendance que j'avais eu tant de peine à bâtir — mais au nom de quoi ? (Ni l'écriture, ni mes sensations, assez vagues d'ailleurs, ne pouvaient, dans mon esprit, *faire le poids* en regard de ma fantaisie.) Je doutais si je désirais suffisamment Concha, m'acharnant à découvrir dans son attitude la preuve qu'elle était insatisfaite. N'est pas heureux qui veut. Et ce n'est qu'assez tard qu'on voit le côté répugnant du collage, qu'on sent la sueur de son partenaire, que certains détails, négligés jusque-là, deviennent insupportables. Il m'arrivait de trouver trop blanche la chair de Concha (alors qu'elle était plutôt brune), de déplorer les quelques poils qu'elle avait au bout des seins, et le cerne de ses yeux, et la rougeur (épisodique) de son menton. Alors, me paraissait admirable (et un peu fou) qu'on puisse voir vraiment un corps et n'en pas moins l'aimer. Je n'en aimais pas moins Concha, en qui je retrouvais des habitudes bien spéciales. Mais, plus simplement, il suffisait d'une de ses réticences, d'un sourire de ses yeux verts, pour que mon amour qui, tout à l'heure encore, n'était que désinvolture, reflue brusquement en moi. Et pourtant, quels avantages n'avait pas mon attachement pour Concha. Ce qu'il y avait de plus conforme à ma nature, c'était cette impossibilité à jouer la comédie qui ne nous rapprochait que lorsque nous en avions envie. Sans obligations, monde à part, ancien, et comme hors de la durée, tout se développait sans effort, donnait le meilleur de lui-même. Il n'était pas comme avec n'importe quelle femme, à la merci d'une discussion dans un bar, d'une soirée ennuyeuse au cinéma, de la malédiction d'être toujours ensemble qui crée cette zone floue où la parole se perd. Et cet amour, par ces causes si particulières, avait peut-être été préservé (le serait-il encore ?) de l'échouage de tout amour. Pour mille raisons qui m'échappaient, il se trouvait toujours remis à flot presque malgré moi, grâce à des prononciations que je n'avais pu prévoir (comme certains jours où je n'entendais plus parler qu'espagnol, où sur un calendrier je lisais Madrid au lieu de mardi, où j'étais obsédé, absolument, par son pays qui, donc, devenait le mien ; amour étranger, traduit, inépuisable).

Et je savais que si, par instants, mon goût de revoir Concha n'était pas plus intense, l'habitude en était seule cause, et c'était pour cela que, dès maintenant, je devais, sans plus m'occuper des contradictions, lui donner, *par excès*, sa meilleure forme. Patiemment, je construirais le souvenir que je garderais d'elle, gouvernant ma mémoire (nous ne sommes que mémoire), et, peut-être, à force d'attention, sortirais-je vainqueur de ce duel avec le temps.

C'était une répétition des plus imperceptibles détails qui revenaient frapper mon attention comme pour me prouver que la vérité était bien derrière moi, et que, seule, ma légèreté avait pu m'en détourner.

La maladie m'avait plongé de nouveau dans cette sensibilité exaspérée, toujours au bord de l'angoisse, que j'avais, enfant, lorsque je ne pouvais supporter de me trouver seul dans mon lit, que j'appelais à grands cris, ce qui n'aboutissait qu'à aggraver mes crises. Maintenant, ces enfantillages étaient passés, je n'avais plus personne pour venir, en pleine nuit, me porter un verre d'eau, me rafraîchir le visage. Je restais seul, avec, comme devoir peut-être imaginaire, celui de m'éclaircir à mes propres yeux. Dans mon lit, le soir, j'attendais longtemps le sommeil, allumais ma lampe, contemplais les rideaux, tout ce décor où le hasard m'avait placé. Impression d'étrangeté absolue. Il faudrait cacher ce vide de quelque manière, ce vide que seul le ravissement pouvait combler. Je ne voulais pas être « touchant », la faiblesse me faisait horreur. Comment faire comprendre que je ne tendais à nulle complaisance et que — existerait-elle — je ne l'écris, même, que pour mieux la surmonter ? C'est un travail que je veux montrer, seulement un travail pour peu qu'il soit juste.

Et cependant, quel soulagement c'était, grâce à Concha, de sortir du monde des indifférents pour rentrer, malgré tout, dans celui qui vous connaît, attentif à vos moindres variations. Elle pouvait, avec un sourire, la tête un peu inclinée, me dire : « Je te connais », sur ce ton d'autrefois, sans appel, qui me faisait frémir. Mais aussi elle me faisait remarquer, en reniflant de manière assez comique : « Aujourd'hui tu as trop fumé ». Ou encore, elle me chuchotait que « j'étais bien délicat », ce qui était supposé me rendre honteux. Et sa sollicitude n'avait rien, certes, de la fausse politesse dont elle se plaisait à accuser tous les Français. *Francès : falso y cortès.*

La sensation, si forte, de trouver en Concha

non seulement un corps si particulier que, dans son immobilité même (dans son indifférence), il ne pouvait répondre à aucune définition ; mais encore me servant de repère, d'apaisement, et surtout de sujet, voilà ce qui me semblait essentiel. Ma sensibilité, à tort ou à raison, s'était construite sur cette fondation, lui devait le meilleur d'elle-même. Je pouvais traiter Concha avec légèreté ou la perdre ; en moi, je ne pouvais moins faire que de la trouver *donnée*. Et ce n'était guère l'esthétisme que je recherchais, ni l' « amour », ni un attendrissement équivoque : je voulais savoir. M'enfoncer dans cette recherche, puisque rien ne pouvait m'intéresser davantage (et, à ce niveau, tout est dit), était donc ma seule entreprise. Mais cette recherche aurait un caractère de gravité. Aux confins du narcissisme, mort. Bonheur menacé que de se voir, de se savoir si fragile et cependant capable d'éprouver de manière si absolue. Le sourire que nous nous adressons, ce sourire de défi, l'est à la fois de notre plaisir et de la mort de tout plaisir.

Avec Concha, je m'efforcerais donc à l'incommunicable. Et je me souvenais (déjà) de ce soir où, malgré le froid, et — pour ma part — insoucieux de le ressentir, nous avions marché jusque très tard. Un moment, sur les Champs-Elysées, comme j'achetais un journal et qu'elle restait en retrait, je la vis avec ce recul, cette première surprise où il nous faut tendre sans cesse. En attente, balançant à peine sur un pied, mains dans les poches de son manteau, son écharpe — de soie ? (il faudrait vérifier) rayée blanc et noir — rejetée en arrière, une sorte d'enfant espiègle, rieur...

Une nuit, tandis que je montais les escaliers, seulement attentif au bruit de ses talons, au frottement de sa jupe contre le mur ; pendant que j'avais ainsi à mes côtés la cause de tant d'images contradictoires, tellement supérieure à moi qui ne pourrais épuiser sa vraie langue, sa vraie nature, Concha, qui reparaissait comme si rien n'était, je me disais (car il n'y avait aucune raison particulière pour que nous soyons là tous les deux, alors que « la vie » aurait dû depuis longtemps nous séparer, effacer les correspondances avec le passé ; car il était extraordinaire de me trouver là avec elle, dans une portion de temps privilégiée où nous pouvions seulement rire de notre chance), je me disais qu'il m'arriverait sans doute, parlant de mon amour pour elle, de cet amour si important pour moi, si décisif, de feindre un commencement, une fin, une progression, que je saurais méconnaître ce dont maintenant j'étais sûr : qu'il n'y a pas d' « histoire », que rien ne commence ni ne finit vraiment, que certains individus présentent un visage, un caractère toujours ouverts — et voudrait-on les obliger à prendre parti, à jouer un rôle, ils ne sembleraient pas vous comprendre, comme si le fait qu'il doit se passer quelque chose (alors qu'en réalité il ne se passe rien), était une notion apprise, une image truquée du temps que nous substituons au temps, et qui, pour ces corps immobiles, sans destin, doit paraître ridicule, inopportune ; êtres inlassables qu'on a toujours envie d'assaillir de questions, qu'on aimerait secouer comme ces objets inanimés où nous ne voyons, lorsqu'ils semblent nous résister, qu'une preuve irréfutable de notre désarroi et de notre sottise.

Une autre fois, sous un porche, son visage, dans l'ombre, acquit cette généralité anonyme (style : « l'espagnole ») où il arrivait qu'elle s'échappe. Ou encore, c'était elle, connue, attendue, retrouvée. Son parfum. Et son chuchotement sur le ton de la supplication, comme on escamote — sur un ton imprécis — les mots dont on a honte.

Enfin, un jour que je l'observais sans qu'elle me voie, c'était elle, avec son air grave et fourré, dans cette veste rouge, souriant un peu, rêvant, elle, cette petite femme sans caractère qui était pour moi tout au monde.

Oui, il y avait tous ces moments que, suivant en cela l'idée nouvelle que je me faisais de ma mémoire, je m'acharnais à analyser dans les moindres détails. Mais je savais qu'entre Concha et moi, il y aurait toujours quelque chose d'inexprimable, donc d'autant plus attachant que je tâcherais de l'exprimer — et n'étais-je pas justifié d'écrire si, vis-à-vis de mon modèle, et pour ma seule aventure intérieure (raffinée, précisée par l'écriture), j'éprouvais au plus haut degré une coïncidence, un déchirement ?

Sûrement, — me disais-je — il faudrait, à un moment quelconque, forcer mon attention de telle sorte qu'en faisant le vide en moi je me laisse *impressionner* davantage. Ensuite, la mémoire transformerait tout cela. L'attention, la lucidité sont — si j'ose dire — des placements à long terme. Je me mettrais ainsi à l'abri des coups de vent de la mémoire, encore qu'en me préservant d'eux, je ne parviendrais — telle la digue fait éclater le flot — qu'à les rendre plus violents. Je me trouverais ainsi gagner sur les souvenirs involontaires une plus grande intensité et, d'autre part (car le temps, pour nous, est bien retrouvé), je me construirais tous ces souvenirs volontaires que la durée se chargerait d'animer, d'émerveiller. J'introduirais dans mes moindres actes, dans les plus furtives situations cette certitude d'un merveilleux à venir. Il était temps enfin, de ne plus se laisser aller, de gouverner un peu cette masse confuse d'émotions. Comme tout le monde, j'avais remarqué que la profondeur ne naît pas toujours dans l'agitation, mais plus souvent dans l'harmonie, le silence. Comme tout le monde, j'avais éprouvé que les souvenirs qui me remuaient le plus n'étaient ni ceux que j'avais crus les plus beaux, ni les plus susceptibles de durée. Au contraire, et par une loi qu'on aurait dit similaire de celle qui veut que, dans la sélection naturelle d'une espèce, soit conservé le type le plus moyen, — comme si le réel voulait aussi se jouer de notre appréciation — il se trouvait que ces souvenirs étaient en eux-mêmes assez médiocres, mais toujours d'une fraîcheur, d'une lumière adoucie... Et je me rappelais (j'appelais à moi) cette première tentative où, sur le balcon d'une ville inconnue, j'avais délibérément décidé que ce moment de contemplation serait exceptionnel. Il pleuvait, la rue était déserte, le ciel gris. Mais je voulais que tout cela soit organisé pour me plaire et non seulement le réel sembla se soumettre à ma décision, mais aujourd'hui encore, je revois ce moment de conscience et de volonté comme un des plus beaux, des plus achevés de ma mémoire. Depuis, dans toutes mes visites à des maisons nouvelles, je ne manque jamais d'aller à la fenêtre, de l'entrouvrir et de composer pour plus tard un de ces tableaux auxquels je voudrais que se limite ma vie. Etre sûr (mais l'est-on jamais ?) que la conscience a été, autrefois, volontairement la plus grande possible, voilà une jouissance qu'avec un peu de méthode on peut rendre inappréciable. Car la seule question qui se pose à nous est bien celle-ci : les choses et nos qualités étant ce qu'elles sont, comment en jouir au maximum, avant que... ?

Les grandes situations, les « événements » s'épuisent d'eux-mêmes. C'est le réel le plus quotidien, parfois le plus misérable — une sensation de vent, de chaleur, de clarté, un rappel de lieux un peu trop communs, la vision inexplicablement émouvante de certaines attitudes — qui, à la lettre, fait son chemin en nous, pour éclater soudain dans notre théâtre, grossi par toute cette attente, tous ces détours, cet effort qu'il a mis pour naître. Travaillons au vertige du banal. Or, cette évidence, je sentais qu'il fallait non seulement y trouver mon plaisir, mais presque un devoir... Non pas une théorie du temps mais une méthode pratique et dès maintenant systématique (afin de devenir, s'il se pouvait, une monstrueuse machine) de se rendre plus libre et, en tout cas, plus sensible par tous les moyens.

Concha elle-même, qui était le catalyseur de toutes mes pensées, je voulais m'en représenter une image définitive et il me semble bien, d'ailleurs, l'avoir trouvée. Ce fut lors d'une visite à l'Escorial, un après-midi d'été, que je découvris le « Martyre de saint Maurice » du Greco. En dehors de la raison très particulière que je vais dire, je risque tout de suite que ce tableau me semble épuiser tout recours à la peinture, et ce sentiment qui, devant certaines représentations, nous laisse atterrés. Je me souviens de cette journée où, après que mes amis se furent amusés de ma fièvre (il avait fallu la fermeture pour m'enlever de devant la toile, faire cesser mes va-et-vient agités), je restai dans une rêverie dont, à ce point, je n'avais guère l'habitude. Certes, le « martyre » justifie cette admiration, avec ses couleurs vives (des jaunes, des bleus, des mauves d'une violence irrésistible), sa composition déjà révolutionnaire (cette trouée à gauche donnant sur la plaine où se presse une armée), ses jambes diaphanes et ses mains qui traversent la toile comme des oiseaux. Certes, tout cela est organisé en avalanche, en agression, pour attaquer l'équilibre, lui faire rendre ses derniers secrets. Mais ce qui me bouleversait plus profondément c'était, en haut, à gauche, dans un de ces espaces lumineux où s'agglutinent d'habitude les anges, les saints, les bienheureux, le petit ange lecteur qui doit tenir le livre du Jugement. Car ce visage clair et rebondi (on devine ses couleurs, le grain de sa peau), ses yeux qu'on imagine sombres, étincelants (frangés non pas de cils mais de ces *pestañas*, noires et bistrées, et de ce mot lui-même), cette figure à la fois enfantine et sérieuse, hautaine et gracieuse, surmontée d'une chevelure ébouriffée, très brune avec, sur le front, un amas de boucles et de mèches, c'était Concha, exactement, éternellement, dans son lit, lorsqu'elle s'adossait à l'oreiller et que, soudain rêveuse, elle perdait son regard. Et comme cette comparaison, mais non, cette identification quasi parfaite, convenait bien à Concha dont on s'accordait « qu'elle eût de l'ange » (*que tuviese angel*) selon la curieuse expression de son pays. De toute manière, cette expression de Concha aidait à mon travail, en me la fixant un peu. Ainsi, parfois, lorsqu'elle était vêtue de couleurs dont l'ensemble vif me faisait penser à quelque « réclame », cela simplifiait l'idée que je me faisais d'elle. Et, parmi cette collection de visages, réels ou peints, que chacun porte en soi comme, vis-à-vis du monde, diverses solutions possibles de regard, j'ajoutais celui-ci, où, de temps en temps, pensant à Concha, je pourrais faire escale. Merveilleux ange. Au-dessous de lui, dans la mêlée, on s'agite, on discute, on se concerte. En effet, avec des gestes impressionnants. Mais ce ne sont, malgré tout, que mouvements, attitudes, crimes, hésitations. Tandis que lui, immobile, le visage envahi d'une lumière, d'un calme inconnus, non pas différent mais étranger, au delà, centre d'un calme imprenable, manifestement d'une autre espèce occupée à des problèmes insignifiants, il ne semble connaître que cette seule passion : lire. Ce qu'il entend, ce qu'il ressent ou ce qu'il projette, peut-être le tire-t-il de ce gros volume, peut-être cela lui vient-il d'une région très lointaine et secrète, en arrière du tableau. On ne saurait le dire, tant son visage qui semble accueillant, se révèle fermé — même et surtout sous le sourire. Il a pris cet air pour mieux nous abuser, nous rassurer, ou inquiéter qui le mérite. Il n'attire que le regard distrait, le commentaire désinvolte. Mais d'où vient que l'on sente ce malaise, cette inquiétude en le jugeant ?

J'ai dit que Concha ne me paraissait pas avoir changé. Comment en être sûr puisque objectivement nous ne connaissons jamais les autres et que, d'autre part, ma connaissance d'elle, subjective, avait évolué ? Cette même incertitude, je ne m'en étais jamais débarrassé envers son existence d'autrefois ; des moyens qu'elle avait employés pour survivre ; de son errance à travers la guerre, la misère, l'abandon ; de ses relations avec sa famille. Mais c'était là son secret, inconnaissable, dont je n'avais appris que des bribes : qu'elle avait un enfant — une fille —, qu'elle avait sans doute était prostituée pendant un temps. Tout cela, à vrai dire, ne m'intéressait guère. On n'explique pas les individus par les événements mais par ce qui, en eux, leur résiste. Que m'importaient les circonstances dont étaient sortis le caractère, la nature de Concha, puisque je recherchais en elle une permanence, un au-delà du plaisir et de la douleur ?

Et pourtant, c'était elle, je n'avais pas à m'y tromper. Même, il me semblait qu'elle était à mon égard plus attentive à me plaire, quoique sans nulle coquetterie. C'est ainsi qu'elle mettait à me caresser, à me déshabiller (lorsqu'en rentrant de nos promenades nous nous laissions tomber sur le lit), la même impatience que moi et, par moments, la même autorité. Volontairement, elle hésitait deux ou trois fois à m'embrasser, puis le faisait soudain avec une sorte de rage. Elle m'avait désiré, elle m'avait attendu, puisqu'elle n'attendait rien de moi.

Je me souviens d'un de ces dimanches de printemps, que nous passions dans sa chambre. Après l'amour, je fus me promener, seul, au parc Monceau. Le soleil perçait à travers les arbres et tout était possible, soudain, dans cet univers de feuillages et de lumière. J'aime ces jours d'orages, à éclaircies. Et comme la plupart de nos « états d'âme » ne sont que des états de corps transposés, je me rendais compte, qu'une fois le désir apaisé, disparaissait momentanément l'inconnu, l'inconnaissable. Que cela était simple. Il fallait, je le comprenais seulement, accepter ce rythme sans lui proposer nos conditions : être heureux et ne jamais calomnier que soi-même qui serait incapable d'y parvenir.

Je restai longtemps assis sur une chaise de fer, les jambes allongées, à contempler un canard à l'œil rond, de qui je devais avoir un peu l'allure et, pour cela, le trouvant très fraternel.

J'allais presque chaque soir chez Concha et de moins en moins à mes cours. Un matin, je décidai, sans être rentré chez moi, de me montrer un peu à la Faculté. « Vous voilà ! me glissa un de mes professeurs tout en me tirant dans un coin de couloir, vous me permettrez d'être surpris ! Mais vous avez l'air fatigué. Vous faites de la psychologie ? De la physiologie ? De la psycho-physiologie ? »

D'autres fois, je sortais au petit matin. Après avoir pris toutes sortes de précautions dans l'escalier, j'ouvrais la porte, laissais me brûler l'air vif des premières heures. Allumant une cigarette, je sentais le poids de mon visage, surpris que, déjà, on ne m'arrête pas pour excès de jouissance. Les marchés fonctionnaient déjà, des cageots traînaient dans les ruisseaux. Le matin du premier mai (qui, par ironie, se trouve être le jour de ma fête : *el dia de mi Santo*) la rue que je devais prendre pour aboutir à la bouche du métro était jalonnée de vendeurs de muguet pour qui, à six heures du matin, j'étais le seul client avec un ou deux noceurs en smoking. Autrement, je prenais le métro avec les premiers travailleurs qui me dévisageaient sans complaisance, rentrais chez moi dans la lumière du printemps.

Une fois dans ma chambre, je m'étendais tout habillé sur mon lit, sombrais dans un sommeil assez naïf, visitais le plus souvent de grandes maisons écrasées de soleil, ouvrant sur des paysages d'arbres et de lacs. Vers onze heures, réveillé, j'allais au Luxembourg où, sur le bord des pelouses, des jets d'eau faisaient une fraîcheur mouvante avec le vent.

Mon emploi du temps se trouvait modifié d'une manière qu'autrefois j'aurais trouvée insultante. On croit ne pas tenir à la vie et la discipline du plaisir vous la fait aimer. Moi qui ne savais jamais quoi faire, j'étais toujours « pris », je m'arrangeais pour l'être. Je me rendais compte qu'une autre existence était possible dont je n'avais pas même idée, celle où des gens ont besoin de vous, et peut-être seulement une femme : profiter de cette naïveté, ne plus écouter la voix de la lassitude qui, autrefois, m'avait construit une mémoire incomplète. Me tuer de plaisir, voilà ce qu'il fallait, me hâter, éprouver le plus possible, sans écouter ni ma nature, ni mes habitudes, de telle sorte que, plus tard, je ne puisse jamais me dire : tu aurais pu en faire plus. Je me forcerais, je ne me laisserais pas tranquille. Or il faut dire que Concha se prêtait à tous mes calculs, n'émettant pas la moindre contradiction, caractère harmonieux, rassurant, dont la moindre nuance, parfois, suffisait à m'inquiéter. Ainsi : une femme seule, sans envies et sans vanité, une femme perpétuellement excitée, voilà un sujet de science. Une drogue en apprend moins, en définitive, il faut insister.

Parfois, je me reprochais un manque de ressource vis-à-vis de cette liaison qui, pensais-je, devait m'apparaître extraordinaire. Alors, je restais dans la chambre de Concha, je m'efforçais de m'imprégner de tous les détails, de ne rien laisser au hasard de ma perception. Sur le mur, grâce au calendrier des P.T.T. dont le carton blanc bordé d'un liséré rouge se balançait au bout de sa cordelette, c'était l'automne. De grands arbres dressaient dans un ciel bleu froid leurs feuilles sèches et dorées. Alentour, ces mêmes feuilles, cette profusion de feuilles où l'on aurait aimé s'étendre, se rouler, le visage perdu dans leur crissante fraîcheur. Au loin, c'est-à-dire en contrebas de cette colline occupée par les arbres et leur feuillage incendié, c'étaient de longues prairies vertes, brumeuses, qui partaient à l'aventure, mais vous caressaient, mais s'affaissaient en vous, mais n'en finissaient plus de vous fuir. Une rivière — ou plutôt une mince lame d'acier, une fermeture éclair — les traversait, ces prairies, leur donnait un air inaccessible. Et pourtant, c'était bien sur ce tertre murmurant (ainsi que je l'imaginais) qu'une partie décisive (cela du moins en étais-je sûr) se jouait. A ce point de la promenade, je me serais arrêté, j'aurais respiré profondément, je me serais appuyé contre l'un de ces troncs rugueux. Et sans doute, j'aurais été bien au-delà du plaisir et du soleil, de ce brandissement, de cet échevèlement de l'automne ; oui, c'est au-delà que j'aurais été en pouvant sentir ce va-et-vient du vent, en pouvant le suivre dans ses hésitations au travers de l'espace, dans ce bruissant et immuable entre-deux.

Et comme on s'aperçoit du changement de son caractère ou de ses opinions par la modification — quelquefois infime — de ses goûts, je doublais ma vie ainsi qu à tous mes moments de sensualité, d'une musique plus rêveuse, plus lumineuse qui me semblait donner toute sa mesure à ce que je venais d'éprouver. Debussy (le *Prélude à l'après-midi d'un faune*, pour fournir des repères faciles : tout auteur devrait, de la sorte, fournir ses références), cette musique, aimée de nouveau avec passion, me permettait de me mettre en scène et devant, par exemple, la phrase descendante de la flûte du *Prélude* qui — glissante, ondulante — correspond si bien pour moi à l'expression : « se couler » (entre des draps, sur une femme) — de me réciter les vers de Mallarmé :

Mon crime, c'est d'avoir gai de vaincre ces peurs
Traîtresses, divisé la touffe échevelée
De baisers, que les dieux gardaient si bien mêlée.
Car à peine j'allais cacher un rire ardent
Sous les replis heureux d'une seule...

Jamais je ne me pardonnerai de n'être pas musicien. Et cette phrase, destinée sans doute à évoquer des amours rustiques, violents et parfumés dans un décor de moiteurs et de verdure, je la transportais dans la chambre de Concha, j'en faisais une alliée qui, lorsque je ferai l'amour avec elle, me donnerait la sensation de posséder la terre même (la déesse Terre). Rares sont les partenaires qui permettent d'atteindre enfin cette cible. La déesse Terre : nous saurons un jour ce qui se cache sous ces deux mots.

Un jour, et je ne rapporte cet incident que parce qu'il me semble, bien que secondaire, d'une grande importance (comme un rappel de ce monde que je n'avais fait qu'entrevoir au long de ma solitude), j'avais accompagné Concha chez des amis. Je restai l'attendre en bas, dans une cour intérieure. Il faisait nuit et l'immeuble découpait dans le ciel un rectangle clair et — comment dire ? — plutôt froid malgré (et peut-être à cause de) une multitude d'étoiles. Tout près du mur contre lequel j'étais appuyé, une fontaine dégoulinait avec un bruit sec, irrégulier. Mais surtout, ce qui me parut d'emblée extraordinaire, c'était, passant à travers les fenêtres illuminées, le bruit des conversations multiples, qui occupaient les six étages. Une radio jouait un air à la mode :

Elle a roulé carrosse
Elle a roulé sa bosse...

air joyeux, entraînant, qu'avec un sourire, j'appliquai à Concha. Le bruit des voix oscillait principalement entre deux façades et tantôt celle qui était à ma droite, tantôt celle de gauche prenait l'avantage. Un enfant criait. « Alors vous comprenez » entendis-je, suivi de « Il n'en est pas question ! » Justesse de l'expression : des éclats de voix. Et il me semblait que seul dans ma cour, accoudé à ce petit mur et passionnément aux écoutes comme s'il s'était agi d'un secret d'Etat — mais un secret d'Etat m'aurait moins intéressé — j'étais pénétré par tous ces bruits familiers, qu'ils m'envahissaient, trouvaient en moi leur développement, me touchaient enfin. La certitude que Concha allait tout à coup venir dans ce décor me parut inconcevable. Pour une fois, j'attendais l'impossible et l'impossible arriverait. Et, brusquement, je sentis que c'était là ce qu'il me faudrait tâcher d'exprimer toute ma vie, ce sentiment d'inattendu vis-à-vis du monde et des corps, cette brusque assurance d'une harmonie et d'un bonheur incommunicables, certes, mais qui, pour moi-même, ne seraient parfaits que dans mon effort pour les redire. Et, multipliant ces sensations, faire de ma vie (mais était-ce possible ?), un ensemble clair et solide qui aurait l'éclat et la dureté d'un nouveau métal que rien enfin ne pourrait fondre.

Concha apparut dans les escaliers et je laissai là mes hypothèses. Pourtant, ce soir-là, je prétextai un empêchement et revins chez moi seul, en marchant. Il subsistait de ma rêverie de la cour une euphorie physique — et aussi une interrogation. De tels instants valaient-ils qu'on s'occupe d'eux, qu'on les prenne pour centre de tout le reste ? Oui, je le croyais, je le croyais même passionnément.

Je longeais le parc. Il y avait un clair de lune

bleu-noir, au milieu de quelques nuages, ridés, comme le sable de certaines plages où l'eau, en se retirant, semble avoir lutté une dernière fois pour maintenir ses prises. Au-delà des grilles du jardin, les arbres, dessinés en désordre, semblaient non pas détacher leurs branches mais les incruster au contraire dans ce métallique et secret espace. La rue, aussi loin que mon regard pouvait porter, était déserte, faiblement éclairée, et mon pas résonnait largement dans le silence. De temps à autre, je surprenais par une fenêtre dont le rideau fermait mal, un meuble, un abat-jour et parfois une silhouette. Ce quartier que je croyais connaître, m'apparaissait ainsi, dans l'opposition de cette sécurité et de l'étendue froide du dehors, étrangement neuf, comme au centre d'une attraction irrésistible, dépouillé, mis en valeur, presque suppliant d'existence. Mon souffle se faisait plus lent, mes oreilles bruissaient et, en marchant, j'habitais mon sang. Puis-je dire que, soudain, je flottai ? Mes pas s'étaient amplifiés démesurément, ils me semblaient remplir la nuit tout entière, sonner de plus en plus comme au rythme d'une danse inconnue. Mais ce n'était plus moi. Et sans doute, à ce moment si intense, si fugitif, étais-je ce ciel où, à travers l'emmêlement des bois, sourdait une lumière ; où, sans bruit, familièrement, profitant sans doute de quelque inattention (de sa part ou de la mienne), je m'étais perdu.

Un soir, qui devait être le dernier — je partais en vacances — j'avais rendez-vous avec Concha à dix heures devant un cinéma. C'était pour la voir, lui parler encore une fois et j'avouerai que cela m'agaçait un peu, ce cérémonial d'avant la séparation. Pour couper court, je faillis ne pas y aller.

D'abord, je crus qu'elle était en retard, mais cela, pourtant, lui ressemblait si peu que, tout de suite, je fus inquiet. Si elle ne venait pas ? Si elle allait ne plus venir ? Alors, et par un mouvement naturel et absurde, je fus saisi d'une angoisse telle que si ma vie avait été en danger. Je commençai de marcher avec agitation sur le trottoir. Dix heures dix. Et pendant tout ce temps où je scrutais la foule des promeneurs, où je croyais la voir dans chaque automobile, dans chaque femme un peu pressée, j'essayais de me rappeler sur le visage de Concha que j'avais vue la veille une marque imperceptible de déplaisir ou de froideur. Ne m'avait-elle pas dit au revoir avec un peu trop de distance, comme si déjà, elle s'était éloignée ? N'avait-elle pas choisi de manquer ce rendez-vous pour me signifier un adieu qu'elle avait hésité à me dire ? Dix heures et quart. J'allais, je venais sur le trottoir, épuisant mes hypothèses, et combinant pour expliquer son retard les classiques excuses de l'aveuglement (il y avait eu malentendu, que faire ? etc...). Jamais je ne l'avais tant désirée. « C'est certain, me répétais-je avec rage, je ne peux pas me passer d'elle, il faut absolument la retrouver... »

Peut-être sentais-je obscurément que, par cette absence volontairement posée sous la forme vulgaire du « lapin », Concha, en s'en allant, reprenait l'avantage. Je l'aimais encore assez, j'avais assez de vanité (comment savoir ?), pour accréditer cette histoire de roman. Dix heures et demie. Je débordais moins de fureur que de désir, moi qui, un instant auparavant, n'avais pas envie de la voir. Je traversais la rue, allais à la station de métro, revenais, repartais en ayant peur chaque fois de l'avoir manquée. Un policier me regardait. Je décidai d'aller chez elle. Comme je me préparais à prendre le métro une rame arrivait en sens inverse. Elle en descendit. Fasciné, ne sachant plus rien de moi, je la suivis sans qu'elle m'aperçoive. Où pouvait-elle aller ? Mais je compris bientôt qu'avec trois quarts d'heure de retard, elle se dirigeait tranquillement à ma rencontre. Son visage exprimait l'indifférence, elle ne me voyait même pas. Je continuais de marcher derrière elle que j'avais crue disparue et que tout à l'heure j'aborderai avec un air furieux pour bientôt éclater de rire. Bien sûr, elle avait été retardée, elle s'était trompée d'heure. Comment aurait-elle pu ne pas venir ?

Et je prolongeais le plaisir de la voir marcher, souple, indifférente — si sérieuse, dès qu'elle était seule, que son visage prenait une expression de dureté.

Ce même soir, je la raccompagnai chez elle. Nous allions, pensais-je, nous quitter avec cette même absence d'emphase, avec ce même naturel, si l'on veut, qui étaient dans le caractère de Concha. J'avais épuisé tout à l'heure, dans une dernière fausse note, ce qui restait en moi de puérilité et de faiblesse. Cette fois, c'en était bien fini. Nous nous reverrions de temps en temps pour faire l'amour ou parler à mi-voix du passé, et ces futures entrevues seraient légères, un peu désespérées. Mais quoi, d'autres aventures nous attendaient sans doute.

Alors je m'aperçus que le visage de Concha, appuyé contre le mur, était baigné de larmes.

Une lumière l'éclairait un peu. Sa beauté, à ce moment, la dépassait, touchait à ce pathétique de certaines images qu'on ne contemple qu'une fois, dans la bousculade des catastrophes. Elle pleurait, murmurait qu'elle avait fait exprès d'arriver en retard dans l'attente que je sois parti, prenant sur moi la responsabilité de notre séparation ; qu'elle était trop vieille pour moi — cela elle s'en rendait bien compte ; que cette histoire ne pouvait nous conduire nulle part ; qu'à jamais, elle voulait être très loin pour ne plus me voir.

Maintenant, elle appuyait sur ma joue sa figure tremblante et mouillée. Puis, m'écartant un peu de la main, elle me regarda. Comme, déjà, elle me semblait sur une autre rive, lointaine, inconnue, emportée par un tourbillon aussi soudain qu'imprévisible. Elle m'aimait, et c'était pour cela, je le savais, qu'elle ne voulait plus me revoir. Rapide, elle essuya ses yeux du revers de sa main comme font les enfants, tandis que, bouleversé, je m'apercevais qu'en une seconde tout s'écroulait de ce que j'avais cru si solide, si indiscutable. M'étais-je trompé à ce point ? Des années entières, tout ce qui avait composé ma joie et ma tristesse, mon émotion renouvelée, entretenue au long de tant de jours. Et déjà, je souffrais de tout ce que j'allais avoir à souffrir. Car c'était à une autre Concha que j'avais à faire — qui me quittait en détruisant en moi la partie de moi-même que, différente, elle avait construite avec tant d'art. Il faudrait m'interroger encore, tuer, museler mes réflexes pour combler le vide que ce changement avait creusé. La faute en était de cette enfance qui, en moi, n'en finissait plus de mourir.

Comment allais-je pouvoir vivre dans la compagnie d'une image fausse, truquée, composée avec trop de soin et qui laissait voir à ce moment son mensonge ? Il y aurait toujours, comme témoin de mon erreur, ce visage nouveau, ce visage en pleurs. Comment pourrais-je supporter ma solitude avec ce visage que je n'avais pas prévu ? Mes théories butaient contre ce visage, ma mémoire ne pouvait s'en faire le complice voulu. Peut-être me faudrait-il écrire sans relâche pour diminuer, sans jamais l'épuiser tout à fait, cet énorme poids dont ma vie venait de s'alourdir. Ecrire pour respirer, tâcher de rattraper cet instant si court, si décisif.

Concha m'embrassa, en me mordant un peu comme chaque fois qu'elle était triste, et partit vite. Comme l'escalier de service donnait sur la rue par des fenêtres à verre dépoli, je pus encore distinguer son ombre qui montait la tête rejetée en arrière, lentement, comme si, sa mission terminée, elle était montée, grave, à un sacrifice. Ses longs cheveux faisaient derrière sa tête une ombre plus dense, plus émouvante. Je sifflai. Elle m'entendit, agita la main que je vis en transparence. La fenêtre de l'étage suivant était ouverte et j'espérai la voir lorsqu'elle l'atteindrait. Mais, brusquement, la minuterie s'éteignit, et Concha disparut tout à fait. Rallumerait-elle ? Je l'imaginais tâtonnant comme j'avais fait tant de fois en venant la retrouver le soir. Il fallait traverser un long couloir au bout duquel je savais qu'ayant entendu mon pas, elle allait m'ouvrir sa porte. Peut-être s'arrêtait-elle maintenant à ce même endroit où je faisais halte quelques secondes, pour ne pas lui paraître ensuite trop essoufflé. Mais la lumière restait éteinte : Concha était rentrée dans l'ombre. J'attendis assez longtemps. « Maintenant, me disais-je, elle se déshabille, elle se couche en boule, si bien ramassée, repliée sur elle-même, si invisible sous les couvertures, qu'entrerait-on dans sa chambre pour l'y arrêter, on ne prendrait même pas la peine d'ouvrir le lit. »

J'ai besoin des grandes villes. Tard dans la nuit, je restai dehors. Les éclairs de chaleur sillonnaient le ciel de mai. Le bruit des moteurs, le crissement des freins, le reflet sur une palissade d'une réclame au néon composaient autour de moi une diversion inutile. Tout à l'heure, j'allais partir, quitter Paris, voyager sans doute. Mais ce qui montait doucement en moi avec le jour, comme d'une inextricable contradiction, cette chose immuable sur laquelle ma vie serait bâtie et où le monde extérieur n'apporterait plus désormais que des variations, ma solitude enfin, m'avertissait que j'étais guéri de ma jeunesse. On aurait dit, comme dans ces contes anciens où les morts viennent de temps en temps conseiller les vivants, que Concha n'avait reparu que pour me secourir. Etait-ce même Concha ? Ou bien l'époque de ma vie où j'avais eu la chance de l'aimer ? Rien n'était perdu sans doute. Je la reverrais, nous oublierions d'un commun accord l'incident de ce soir, il y aurait mille raisons de n'en pas tenir compte. Concha, ma seule perverse et vieille amie... « Pour le moment — me dis-je — ne plus bouger, se tapir. » Peu à peu je m'engourdissais, mais je savais que j'allais rester là, assis contre ma fenêtre à regarder se lever le jour. Ma vie s'ouvrait et se fermait sans bruit. N'avais-je pas été heureux ? Bien plus que le malheur qui nous fait dépendre de nos désirs, c'est le bonheur qui isole. Et j'éprouvais toute l'étendue de ma solitude, celle que la lucidité me dévoilait ; la vraie, la seule solitude : celle dont les yeux sont ouverts. Il était donc arrivé, ce moment où il semble que tout s'écroule autour de soi, qu'on n'est plus compromis par rien de ce qui autrefois pouvait le faire, qu'on se reprend enfin. J'aimerais d'autres corps mais ce serait pour m'occuper sans trêve de leurs plus imperceptibles mouvements, de cette pulsion qui s'évade de nous et va prendre pour quelque temps la forme d'un visage et du plaisir. Mais cette pulsion, je l'acceptais avec nuance, je savais (au contraire de ce que j'avais pensé un instant auparavant, face au désarroi de Concha, dans cette dernière tentative du réel pour me faire douter de moi-même), qu'elle ne m'abuserait plus, que je lui avais soutiré son pouvoir de me faire souffrir pour ne lui réserver que son vice.

L'aube s'organisait au fond d'un paysage de toits et de feuillages. Ce n'était plus un de ces moments de débordement que j'avais si bien connus autrefois et qui, pour un temps très court, me guérissaient de l'habitude ; ce n'était pas non plus la résignation que j'avais haïe, bien au contraire, mais cet autre sentiment qui se dégageait, fragile peut-être et provisoire, d'être désormais aussi loin que possible de l'agitation et du manège du monde. J'écris ceci qui peut paraître ridicule : je me sentais sauvé. Et il y avait dans cette certitude qui soudain m'avait envahi (certitude d'être inaccessible), une joie telle que j'avais la nette sensation d'avoir trouvé ma voie, je veux dire cette sensation de ne plus vivre honteusement raccroché à quelque tromperie. Et alors, sentant que j'allais pouvoir travailler, la vie me paraissait inappréciable qui me permettrait d'observer, d'éprouver, de comparer ses réactions si différentes mais où je n'entrais plus moi-même, comme si je m'étais retiré du jeu pour en voir les derniers effets. En attendant pire.

Le Martray-Paris, *juillet-décembre* 1957.

IMPRIMERIE BUSSIÈRE À SAINT-AMAND (CHER).
DÉPÔT LÉGAL FÉVRIER 1985. N° 8647 (2990).

Collection Points

SÉRIE ROMAN

DERNIERS TITRES PARUS

R39. Le Testament d'un poète juif assassiné, *par Elie Wiesel*
R40. Candido, *par Leonardo Sciascia*
R41. Le Voyage à Paimpol, *par Dorothée Letessier*
R42. L'Honneur perdu de Katharina Blum, *par Heinrich Böll*
R43. Le Pays sous l'écorce, *par Jacques Lacarrière*
R44. Le Monde selon Garp, *par John Irving*
R45. Les Trois Jours du cavalier, *par Nicole Ciravégna*
R46. Nécropolis, *par Herbert Lieberman*
R47. Fort Saganne, *par Louis Gardel*
R48. La Ligne 12, *par Raymond Jean*
R49. Les Années de chien, *par Günter Grass*
R50. La Réclusion solitaire, *par Tahar Ben Jelloun*
R51. Senilità, *par Italo Svevo*
R52. Trente mille jours, *par Maurice Genevoix*
R53. Cabinet portrait, *par Jean-Luc Benoziglio*
R54. Saison violente, *par Emmanuel Roblès*
R55. Une comédie française, *par Erik Orsenna*
R56. Le Pain nu, *par Mohamed Choukri*
R57. Sarah et le Lieutenant français, *par John Fowles*
R58. Le Dernier Viking, *par Patrick Grainville*
R59. La Mort de la phalène, *par Virginia Woolf*
R60. L'Homme sans qualités, tome 1, *par Robert Musil*
R61. L'Homme sans qualités, tome 2, *par Robert Musil*
R62. L'Enfant de la mer de Chine, *par Didier Decoin*
R63. Le Professeur et la Sirène
par Giuseppe Tomasi di Lampedusa
R64. Le Grand Hiver, *par Ismaïl Kadaré*
R65. Le Cœur du voyage, *par Pierre Moustiers*
R66. Le Tunnel, *par Ernesto Sabato*
R67. Kamouraska, *par Anne Hébert*
R68. Machenka, *par Vladimir Nabokov*
R69. Le Fils du pauvre, *par Mouloud Feraoun*
R70. Cités à la dérive, *par Stratis Tsirkas*
R71. Place des Angoisses, *par Jean Reverzy*
R72. Le Dernier Chasseur, *par Charles Fox*

R150. L'Arbre à soleils, *par Henri Gougaud*
R151. Traité du zen et de l'entretien des motocyclettes *par Robert M. Pirsig*
R152. L'Enfant du cinquième Nord, *par Pierre Billon*
R153. N'envoyez plus de roses, *par Eric Ambler*
R154. Les Trois Vies de Babe Ozouf, *par Didier Decoin*
R155. Le Vert Paradis, *par André Brincourt*
R156. Varouna, *par Julien Green*
R157. L'Incendie de Los Angeles, *par Nathanaël West*
R158. Les Belles de Tunis, *par Nine Moati*
R159. Vertes Demeures, *par William-Henry Hudson*
R160. Les Grandes Vacances, *par Francis Ambrière*
R161. Ceux de 14, *par Maurice Genevoix*
R162. Les Villes invisibles, *par Italo Calvino*
R163. L'Agent secret, *par Graham Greene*
R164. La Lézarde, *par Edouard Glissant*
R165. Le Grand Escroc, *par Herman Melville*
R166. Lettre à un ami perdu, *par Patrick Besson*
R167. Evaristo Carriego, *par Jorge Luis Borges*
R168. La Guitare, *par Michel del Castillo*
R169. Épitaphe pour un espion, *par Eric Ambler*
R170. Fin de saison au Palazzo Pedrotti, *par Frédéric Vitoux*
R171. Jeunes Années. Autobiographie 1, *par Julien Green*
R172. Jeunes Années. Autobiographie 2, *par Julien Green*
R173. Les Égarés, *par Frédérick Tristan*
R174. Une affaire de famille, *par Christian Giudicelli*
R175. Le Testament amoureux, *par Rezvani*
R176. C'était cela notre amour, *par Marie Susini*
R177. Souvenirs du triangle d'or, *par Alain Robbe-Grillet*
R178. Les Lauriers du lac de Constance, *par Marie Chaix*
R179. Plan B, *par Chester Himes*
R180. Le Sommeil agité, *par Jean-Marc Roberts*
R181. Roman Roi, *par Renaud Camus*
R182. Vingt Ans et des poussières *par Didier van Cauwelaert*
R183. Le Château des destins croisés *par Italo Calvino*
R184. Le Vent de la nuit, *par Michel del Castillo*
R185. Une curieuse solitude, *par Philippe Sollers*
R186. Les Trafiquants d'armes, *par Eric Ambler*
R187. Un printemps froid, *par Danielle Sallenave*
R188. Mickey l'Ange, *par Geneviève Dormann*